LILY ET BRAINE

DU MÊME AUTEUR

CHRISTIAN GAILLY

LILY ET BRAINE

LES ÉDITIONS DE MINUIT

L'ÉDITION ORIGINALE DE CET OUVRAGE A ÉTÉ TIRÉE
À CINQUANTE EXEMPLAIRES SUR VERGÉ DES
PAPETERIES DE VIZILLE, NUMÉROTÉS DE 1 À 50 PLUS
SEPT EXEMPLAIRES HORS COMMERCE NUMÉROTÉS
DE H.-C. I À H.-C. VII

ISBN : 978-2-7073-2090-2

Par quelle voie mystérieuse était-elle
parvenue à ce qui se présentait
comme un pessimisme gai ?

Marguerite Duras
Le Ravissement de Lol V. Stein

Lily était venue l'attendre à la gare. Elle n'était pas venue seule. Deux autres vivants lui tenaient compagnie. Un enfant et un chien. Un petit garçon de trois ans et un chien du même âge. Le fils de Braine s'appelait Louis. La chienne de Lily s'appelait Lucie.

Louis était un bel enfant aux cheveux d'un blond nordique, presque blancs, avec des yeux bleu clair ombragés par de longs cils, et Lucie une petite chienne, un bâtard de caniche nain femelle, toute noire, frisée comme un mouton, une boule de poils avec deux petits yeux ronds marron et une langue rose. Il faisait chaud. C'était vers le 20 juillet. En plein soleil sur le quai.

Lily tenait son fils par la main et la chienne tirait

sur sa laisse. Lily aurait pu venir seule, accueillir seule son mari, rester seule quelque temps avec lui avant d'être à nouveau gênée par le chien et l'enfant.

Elle aurait pu les laisser à ses parents pour la journée. Elle aurait pu mais elle avait préféré les emmener avec elle. Elle avait pensé qu'un survivant qui se souvient qu'il a une femme, un fils et un chien, a envie de les voir tous les trois, avant toute chose.

Ça se défend. C'est comme on le sent. Dans peu de temps, ils seront quatre, ensemble, réunis. La famille Braine. Lui et Lily, Louis et Lucie. Louis avait beaucoup changé, pas Lucie. Louis avait maintenant au moins trois ans, Lucie aussi, ils étaient nés à peu près en même temps.

Braine n'allait pas reconnaître son fils. La chienne, si, sûrement, il allait la reconnaître. À l'âge d'un an, quand elle a vu Braine s'en aller, Lucie avait déjà la tête qu'elle aurait toute sa vie, pas Louis.

Quand Braine est parti, Louis était un bébé de onze mois, qui ne marchait pas, ne parlait pas, le crâne comme un caillou, alors qu'aujourd'hui, après tout ce temps, peu de chance qu'il reconnaisse son père, autant dire pas du tout. Lucie, elle, si, son maître, elle va le reconnaître.

Du reste, lorsqu'ils se sont trouvés face à face, Braine d'un côté, Lily, Louis et Lucie de l'autre, Louis n'a pas bougé, n'a pas lâché la main de sa mère, qui pourtant lui disait : C'est papa, va, c'est papa, alors que Lucie, elle, oui, elle a bondi au bout de la laisse, tirant comme une folle, Lily l'a lâchée, elle est partie au grand galop, et tous les deux, Lily et Louis, l'ont vue sauter dans les bras de Braine.

La scène avait beaucoup amusé Louis, qui ému avait dit : C'est papa ? Oui, mon chéri, avait répondu Lily, qui émue elle aussi s'était approchée de son mari.

La chienne continuait de lui lécher la figure, surtout le nez, la joue et son oreille, son haleine sentait le chocolat, un peu le caramel, peut-être un chocolat fourré au caramel, l'haleine de Louis devait sentir la même chose. Braine avait laissé tomber son sac pour saisir la chienne au vol.

Il la déposa sur le quai. La confia à Louis, lui enroulant la laisse autour de la main. Ensuite, il attira Lily. Il y avait quelque chose de douteux dans

ses gestes, d'un peu suspect, peu naturel, une mécanique d'automate.

Elle avait marché jusqu'à lui. Dix bons mètres
les séparaient. Les deux mains prises, puis libres
d'enfant et de chien, puis de nouveau prises. Louis
lui avait repris la main et redonné la laisse du chien
quand elle se sentit, plus qu'attirée, plutôt tirée,
happée, capturée, raptée par les bras de Braine puis
privée d'air par la bouche de Braine.

Il ne savait pas pourquoi il faisait ça. Le jour de
sa libération approchait. Un homme en blouse
blanche souriant lui répétait qu'il allait bientôt
pouvoir serrer sa femme dans ses bras et l'embrasser jusqu'à l'étouffer.

Il pensait que Lily le voulait. Mais oui, elle en
avait envie, mais tout ça était si soudain, si brutal.
Elle ne s'attendait pas à autant de force. Elle
s'attendait à tout le contraire. Elle pensait trouver
un Braine encore faible, à peine capable de la prendre dans ses bras. Elle se préparait à le faire elle-
même. La dernière lettre était d'un épuisé. Une
écriture tremblée, méconnaissable, tout juste lisi-
ble : Je reviendrai le dimanche 20 juillet.

Il l'avait empoignée, à demi brisée, et maintenant

il ne bougeait plus, il attendait, se disant que peut-être elle aussi elle avait envie de l'embrasser à sa manière de femme. Il ne se trompait pas.

Lily se dressa sur la pointe des pieds et lui couvrit le visage, l'entier du visage et même au-delà, d'innombrables et minuscules baisers, brefs et musicaux, rappelant un pépiement d'oiseau.

Ça amuse beaucoup les bébés et les chiens. Louis rigolait et Lucie jappait. Ça y était. Toute gêne semblait avoir disparu. On allait pouvoir avancer. On allait quitter ce quai de gare.

Louis avait peur de la locomotive. Lucie, pas du tout. Chien au lieu d'être chienne, elle eût volontiers levé la patte sur les grandes roues.

Lily était une femme pas chienne du tout. Cheminant sur le quai vers la sortie, elle se demandait si Braine avait été sensible aux efforts spéciaux qu'elle avait faits pour lui plaire, capillaires et vestimentaires.

Elle le regardait marcher, grand maigre flottant dans sa tenue d'été militaire, son sac sur l'épaule, et elle se disait : Au moins j'espère qu'il les a remarquées. Sa coiffure et sa robe.

Rien que du très simple qu'elle n'avait pas porté

depuis longtemps. La coiffure que Braine aimait bien et une robe qu'il aimait bien dans le temps.

Dans ce temps-là, il le disait : J'aime bien ta coiffure et j'aime beaucoup ta robe. Une petite robe toute simple, disait Lily, tu vas voir, elle est jolie, elle est blanche avec des fleurs bleu Lobélia, je la mettrai dimanche.

Braine ajoutait : Et tu te coifferas comme j'aime ? On verra ça, disait Lily, et le dimanche elle arrivait avec ses nattes, deux tresses arrêtées par des rubans du même bleu que les fleurs de la robe.

Ça faisait comme si des papillons aux ailes bleues s'étaient posés sur ses épaules blanches. De loin, c'est vrai, on aurait dit « La princesse aux papillons », quand Braine la voyait arriver les dimanches d'été dans cette robe que le vent rendait folle et la lumière transparente de légèreté.

Tout ça n'était pas si loin, c'était pour ainsi dire hier, mais aujourd'hui Braine ne s'était rendu compte de rien.

Était-ce si nécessaire ? Et puis d'ailleurs se rendre compte de quoi ? Pour quoi faire ? Il voyait la couleur du ciel, il sentait la chaleur du soleil, sous ses pieds la terre ferme, le goût de la bouche de

Lily, la main d'un môme qui peut-être n'était pas le sien, la langue du chien, rose, et la douceur de cette boule de poils frisés, noirs, pourquoi faudrait-il qu'en plus il s'en rende compte ?

Ça ne l'empêchera pas de traverser les voies avec les trois autres, mère, fils présumé, chien, et d'en éprouver un vertige qui restera non analysé. Pourtant ce vertige vient de loin et on sait par quels chemins.

Traverser les voies comme souvent dans les petites gares de campagne. Puis la maison des guichets, deux portes vitrées se faisant suite, se faisant face. D'un côté le désert ferré, de l'autre la place du marché, la vie, le boulanger, le parc à bagnoles et les bagnoles dedans.

La famille Braine se dirigeait vers une berline verte. Une carte grise et un permis rouge au nom de Lily. Braine n'aurait pas su dire si c'était la bonne, la leur, la sienne, cette berline verte. Ou la même que celle qu'il avait avant, avant de partir, il y a de ça deux ans et demi, hôpital compris.

Ça non plus, ça n'avait pas d'importance. Ce qui importait c'est que la voiture, en bon état, marchait. Lily l'avait conservée en bon état, elle l'avait

15

bien conduite, pas démolie, n'avait eu avec elle aucun accident, de sa faute ou pas de sa faute, c'était ça l'important.

Il faut dire aussi : Le moteur a bien fonctionné, pas la moindre panne, une bonne marque. Braine lui avait parlé, à Lily, avant de l'abandonner : Tâche d'être gentille avec elle, conduis-la sans faire d'histoires, je compte sur toi, démarre.

Lily assise au volant, se soulevant et tirant sur sa robe pour la froisser le moins possible, mais quoi qu'on fasse, elle se froisse, plus ou moins, ça dépend des tissus, certains pas du tout, paraît-il.

Braine à côté d'elle. Louis et Lucie à l'arrière. Le sac, un sac de l'armée, dans le coffre, et tout à coup plus aucune rue, plus de maisons, le ciel s'ouvre au-dessus de la route, et là, Braine est ébloui, bouleversé par le ciel, le soleil, la vitesse, et le voilà qui se met à balancer son buste d'arrière en avant, histoire d'en gagner, de la vitesse, l'air de dire : Plus vite, chauffeur.

Est-ce à dire que Braine a rapporté de là-bas le cerveau d'un enfant de trois ans ? C'est possible. Pourquoi pas ? Et après, même si c'était ?

Il cesse de s'agiter, se retourne et regarde Louis.

16

Peut-être voulait-il amuser Louis, ou s'amuser avec lui ? Louis faisait comme lui. Braine le voyait se balancer d'avant en arrière, agrippé au dossier, près de la nuque de sa mère, comme s'il était en train de l'étrangler.

La route était belle. Le calme était revenu dans la voiture. C'est elle qui tout à coup s'est mise à faire des bonds, secouée par des hoquets puissants, des trous dans la carburation, en désaccord avec l'allumage, et de nouveau les bustes, y compris celui de Lily, involontaires se balançaient d'avant en arrière.

Non, ce n'était pas une panne d'essence qui s'annonçait, bien que les symptômes soient à peu près les mêmes. Il s'agissait d'autre chose. Pour ceux que ça intéresse : À partir d'un certain régime de rotation, et il venait de l'atteindre, ni plus haut ni plus bas, car plus haut ou plus bas le phénomène n'apparaît pas, le moteur se coupe, reprend, se coupe, reprend, ainsi de suite, il fallait s'arrêter, ou rouler plus vite, ou rouler moins vite, on décida de s'arrêter.

Braine trouva un tournevis dans le fond de la boîte à gants et descendit de voiture. Lily déver-

17

rouilla le capot. Braine l'ouvrit, disparut derrière pendant trois minutes, puis, le capot redescendant, Braine reparut, ça tournait rond, en route.

Le moteur n'avait pas été arrêté. Lily n'eut pas à le remettre en marche, elle relança la voiture sur la route, et tandis qu'elle la relançait, Braine, penché en avant, rangeait le tournevis dans la boîte à gants, elle lui dit : Je vois que tu n'as pas perdu la main. Louis s'endormait sur la banquette. La chienne était malade en voiture.

Braine n'avait pas répondu à ça : Je vois que tu n'as pas perdu la main, ni à ça ni à quoi que ce soit. Pas un son, rien d'audible en tout cas, pas même le geste de modestie, celui qui signifie : C'était rien du tout, laisse tomber, arrête de me faire des compliments, ça me fatigue, je déteste ça. Lily se rendit compte alors seulement que Braine n'avait pas prononcé un seul mot depuis sa descente du train.

Elle se demanda s'il avait parlé dans le train, avec quelqu'un, un homme, ou une femme, plutôt un homme mais peu importe, parlé, elle lui dit : Tu n'es pas content de nous voir ? Et Braine ne réagissant pas, elle poursuivit :

18

J'espère au moins que les médecins m'ont dit la vérité quand ils m'ont dit que tu avais recommencé à parler. C'était la vérité ? Oui ou non ? Il semblerait que Braine ait répondu oui. Sa voix était floue, trouble, faussée, un peu cassée, les cordes vocales sans doute endommagées, d'avoir trop gueulé peut-être, quand ça tombait de tous les côtés.

Bon, mais avait-il répondu oui ? Avait-il seulement répondu ? N'était-ce pas plutôt qu'un vague grognement ? Lily eut envie d'employer avec lui la méthode employée avec Louis : Oui qui ? Oui Lily. Merci qui ? Merci maman.

Puisque tu reparles, paraît-il, dit-elle, je voudrais que tu dises : Oui, ma petite Lily chérie que j'aime, va doucement, prends ton temps, prononce bien chaque mot, je veux les entendre tous.

Elle n'osa pas. Elle eut pitié de lui. Une pitié subite. Elle l'avait regardé pour l'interroger. Elle le regardait de nouveau, par moments, aussi souvent que la route et la conduite de la voiture le lui permettaient, et elle le vit enfin comme il était, un type mort de fatigue, tétanisé par la faim et le manque de sommeil, rescapé d'un voyage de plus d'une semaine, en camion, en hélicoptère, bateau, train, et maintenant l'auto, le tournevis, la scène du tournevis somnambulique.

De même qu'elle s'était rendu compte fort tard que Braine n'avait pas dit un mot, de même elle se rendait compte seulement maintenant que Braine son mari avait terriblement maigri, oui, malgré ce long séjour à l'hôpital, les traits creux, un visage osseux, une tête de déporté, de cancéreux ou de prisonnier qu'on aurait affamé.

Mais, lui dit Lily, les gens, là-bas, les toubibs, tes chefs, personne ne m'a dit qu'on t'avait fait prisonnier, on m'a même dit que l'ennemi ne faisait pas de prisonniers quand j'étais sans nouvelles de toi, alors je ne comprends pas, pourquoi es-tu dans cet état ? Tu ne veux pas répondre ? Non, Braine ne répondit pas.

Le temps passait, la route, les kilomètres. La voiture, une jolie berline verte, intérieur beige, les sièges en cuir, était trop luxueuse pour Braine qui préférait les bolides sobres et simples.

Lily n'était pas une Braine. Lily était la fille de son père et son père le propriétaire d'une grande concession automobile, la plus importante de la région, et le modèle que Lily conduisait était un cadeau de son père.

Papa, dit Lily, t'a gardé ta place au garage. Tu vas pouvoir reprendre ton travail à l'atelier. Ou t'occuper des dépannages, conduire la dépanneuse. Il m'a dit que tu pouvais choisir, si tu avais une préférence.

Après un bref silence : Il a même dit que dans l'avenir, pas tout de suite, dans l'avenir, selon tes capacités d'assimilation, il pourrait t'apprendre la vente, et plus tard, pourquoi pas, faire de toi son adjoint à la direction commerciale. C'est gentil, non ? Bien sûr que c'est gentil, laisse, mon chéri, inutile de répondre.

On arrivait. Ouf, tant mieux, soupira Lily, je n'en pouvais plus de conduire. À ce propos, mon chéri, il va falloir que tu reprennes le volant, et puis ta place dans la maison, tes responsabilités, ton fils à éduquer, enfin tout, quoi, maintenant que tu es là.

Braine ne reconnaissait pas sa maison. Celle qu'il avait sous les yeux réveillait quelque chose, mais quoi ? Sois doux avec ta mère, dit Lily, elle va sûrement pleurer.

Lily avait promis à la mère de Braine de s'arrêter

cinq minutes en rentrant de la gare : Que je puisse au moins embrasser mon fils, avait-elle dit à Lily. Mais bien sûr, avait dit Lily, je comprends, c'est bien naturel.

Comme promis, elle s'était arrêtée. Ça dura plus de cinq minutes mais elle avait prévu que ce serait un peu plus long. Louis dormait dans la voiture. On le laissa dormir avec Lucie. Elle avait vomi puis s'était endormie contre lui.

Braine n'avançait pas. Lily le poussa contre sa mère et Braine se laissa embrasser. La peau du visage de la vieille dame était toujours aussi douce et comme toujours de grosses larmes se jetaient du bord de ses yeux. Fréquentes et abondantes, qui avaient fait tant de mal à Braine quand il était petit, elles coulaient alors qu'il grandissait et coulaient encore quand il est parti.

Son père l'embrassa aussi, sa barbe était très dure, presque blessante, puis il lui dit, sans même lui demander comment il allait, ou bien comment c'était là-bas, Braine n'aurait pas répondu mais quand même, son père lui dit, son haleine sentait le tabac gris : C'est pas facile de rentrer quand on a pris comme toi une bonne raclée.

Ça n'est pas gentil ce que vous dites là, monsieur, dit Lily : La raclée, c'est pas seulement lui qui l'a prise, c'est tout le pays, mais vous avez raison, quand on rentre au pays et qu'on a perdu la guerre, on n'est pas fier.

La mère se mouchait en haussant les sourcils et les épaules. Elle jugeait les paroles de son mari, celles de Lily, tout aussi stupides. Elle allait pleurer toute la soirée. Elle avait perdu son fils. Elle ne pouvait plus le garder près d'elle. De toute façon, le père ne l'aurait pas laissé tranquille. Ça se serait terminé à coups de poing. Du moins le croyait-elle.

Elle ignorait que Braine n'était plus capable de choses comme ça. Il avait son compte. Un uniforme trop grand pour lui. Un fils, une femme, une chienne. Une belle-mère riche, bien élevée, plutôt spirituelle. Un beau-père puissant et grossier.

Je te rappelle qu'on dîne chez mes parents, dit Lily. Ou plutôt je t'informe que nous dînons chez mes parents. Bien sûr, tu ne pouvais pas le savoir mais maintenant tu le sais. Ça veut dire qu'on ne peut pas s'attarder chez nous bien longtemps. Je dis ça pour le cas où tu aurais aimé. Le temps de me changer, toi aussi, tu vides ton sac et tu te trouves une tenue de ville.

Ils étaient de nouveau en voiture et roulaient vers chez eux, leur maison, lui et Lily, leur fils Louis, la chienne Lucie. Une odeur de vomi occupait les places arrière.

Louis et Lucie jouaient dans la baignoire. Braine se brossait les dents. Il se coiffait en même temps. Lily avait changé de robe et de coiffure. Maintenant, elle était occupée à vider le sac de Braine.

Tout ou presque allait finir dans le panier à linge sale. Au fond du sac, elle trouva dans un étui un pistolet automatique de gros calibre. Elle s'empressa d'aller le cacher là où, en principe, personne ne devait le trouver.

Une belle arme, se disait-elle, revenant de l'endroit où elle l'avait cachée, un peu lourde mais vraiment jolie. Moi aussi, j'ai le droit d'aimer les armes mais je dois l'oublier. L'oublier et ne pas oublier. Oublier son existence mais pas l'endroit où elle est cachée. Et de temps en temps vérifier qu'elle est toujours à sa place. Tu crois que Braine va s'en apercevoir ? se demandait-elle en entrant dans la salle de bains.

Il était toujours debout devant le miroir, le peigne dans les cheveux et la brosse dans la bouche. Il mordait la brosse et continuait de se peigner d'un geste mécanique, inutile mais bien appuyé, trop peut-être, car ses cheveux étant coupés très court en brosse, le passage du peigne ne changeait rien, de fait il se grattait le crâne, ça fait du bien.

La brosse à dents, il la mordait comme un jeune chien, les enfants font ça, ils aiment mordre la brosse, les jeunes dents poussent et ça démange.

Tu es bien assez peigné, dit Lily, finis de te brosser les dents. Elle passait derrière lui. Elle déposa un baiser sur son dos nu, près d'une cicatrice qu'elle ne lui connaissait pas : Tiens, se dit-elle, il a été blessé et il ne m'a rien dit. À haute voix de nouveau : Et rase-toi en vitesse, on est déjà en retard. Son torse était affreusement maigre.

La chienne Lucie au contraire était une boule bien ronde et elle adorait nager dans la baignoire, et surtout jouer avec la mousse. Le jeune Louis la portait, il voyait qu'elle était fatiguée, elle risquait de se noyer, ne pouvant se hisser sur les bords.

Bon, allez, vous deux, ça suffit comme ça, sortez de là, dit Lily, puis elle se demanda depuis combien de temps Braine n'avait pas dormi. Depuis combien de temps n'as-tu pas dormi ? Je me demandais, dit-elle en entrant dans la chambre.

Braine était allongé sur le lit, sur le dos, tout habillé. Il s'était trouvé une tenue d'été, grise et aujourd'hui trop grande pour lui, le surplus de tissu s'étalait autour de ses jambes et, sans cravate, il dormait dans une chemise blanche, col boutonné à la mode irlandaise.

2

Johanna Sligo décrocha le téléphone, du bout des doigts, son vernis à ongles n'était pas sec. Elle répondit : Oui, allô ? puis elle écouta tout en secouant et soufflant sur sa main libre. Il s'agissait d'un rouge assez sombre, très chaud, d'autres diraient sensuel. Une dame de cet âge.

Le pauvre chéri s'est endormi, dit Lily. Je ne pensais pas qu'il était si fatigué. Je ne m'étais pas demandé depuis combien de temps il n'avait pas dormi. Et puis j'ai réfléchi. Est-ce que tu te rends compte que Braine revenait de l'autre bout du monde ?

Oui, ma fille, dit Johanna, je m'en rends compte, mais Arthur Sligo, donc ton père, est énervé déjà, et nous nous sommes disputés à propos de lui, ton

27

mari. Ton père voulait savoir si Braine se présenterait en uniforme.

Je suppose que non, lui ai-je dit, le pauvre garçon en a sûrement assez des costumes de l'armée. Je t'accorde que la tenue d'été est assez élégante, mais à mon avis. Alors il m'a dit :

Appelle Lily et dis-lui qu'elle obtienne de Braine qu'il vienne en uniforme. Non, lui ai-je dit, non, il n'en est pas question, je préfère annuler le dîner. Et voilà que toi tu me téléphones pour me prévenir que Braine dort. Mais comment je vais m'en sortir, moi ? Tu peux me le dire ?

C'est simple, dit Lily. Sois gentille avec lui. Ça va l'étonner. Sers-lui un autre grand whisky. Ça va l'adoucir. Ensuite tu l'embrasses dans le cou, c'est radical. Si nécessaire, tu peux lui demander s'il est bien installé, s'il a besoin d'un autre coussin, pendant qu'il réfléchit tu lui en glisses un quatrième.

Côté dîner, tu éteins les bougies de la table. Ton dessert glacé, tu le remets dans le congélateur. Le four, tu baisses le feu, au minimum, au besoin tu l'éteins. Sors le gigot, ça vaut mieux, tu le remettras plus tard : Allez, à tout à l'heure, on arrive tous les quatre dans une petite heure.

Tous les quatre ? dit Johanna. Qui est le quatrième ? Le quatrième est une quatrième, dit Lily, c'est Lucie. Johanna : Tu sais bien que ton père déteste cette chienne. Ce sera Lucie ou rien, dit Lily, avec elle ou pas du tout. Elle ne supporte pas la solitude. Moi non plus, dit Johanna, et toi ? Ça ira.

C'est difficile, voire douloureux, d'être obligé de réveiller quelqu'un qu'on aime, un bébé, par exemple, ou son mari, c'est pourtant ce que je dois faire, pensait Lily.

Elle se dirigeait vers la salle de bains. Elle allait d'abord s'occuper du petit et du chien, mettre fin au chahut de Lucie avec Louis. Tout ça prendra pas mal de temps, se disait-elle, Braine pourra continuer à dormir.

Avant la salle de bains, elle entra dans la chambre afin de s'assurer que tout allait bien. Braine était toujours sur le dos, bras écartés dans sa chemise blanche. Il avait, près de lui, avec soin, étendu sa veste sur le lit, la veste de sa tenue grise de ville, d'été, lavable, vous la mettez à sécher sur un cintre, infroissable, pas de repassage, par cette chaleur c'est appréciable.

Elle ferma la porte en sortant, soucieuse de protéger le sommeil de Braine. Les cris venaient de la baignoire. Lily se rendit compte que jusque-là la porte de la chambre était restée ouverte et Braine dormait malgré les cris.

Je vais avoir du mal à le réveiller, se dit-elle. Je vais commencer avec des baisers, doux, bien placés, mais j'ai bien peur d'être obligée de le secouer. On verra bien.

Louis et Lucie lavés, cheveux blonds et poils noirs passés au séchoir, il était neuf heures moins le quart. On va aller réveiller papa, dit Lily. La solution était peut-être de laisser l'enfant et le chien se charger du dormeur.

Ils allaient le chatouiller, lui sauter sur le ventre, lui lécher le nez. Ça déclencha l'horreur. Braine, haletant, geignait, sanglotait, comme s'il faisait l'enfant, mais c'était sérieux, ça le devint, il supplia disant : Je veux pas y aller !

N'aie pas peur, mon trésor, dit Lily, n'aie pas peur, mon petit chou, mon joli Braine, mon joli mari adoré que j'aime, c'est rien, c'est fini. Je t'embrasse, tu le sens ? Tu sens que je t'embrasse ? Oui ? C'est bien.

Tu vas retrouver tes sens, dit-elle, fais-moi confiance. Tu me vois ? Très bien. Tu m'entends ? C'est parfait. Et mon doigt ? Suce-le et dis-moi quel goût il a. Et si je te touche, là, tu sens quelque chose ? Et là ? Ne bouge pas, laisse-moi faire. Mais j'y pense, tu dois mourir de faim. Je ne me rends pas compte, tu ne dis rien, mais je suis sûre que tu n'as rien avalé depuis au moins vingt-quatre heures, peut-être même depuis quarante-huit heures, tu es si maigre, mon pauvre chéri.

Elle lui caressait les cheveux. Ils étaient doux, propres, taillés en brosse, une brosse qui énervait la paume de sa main.

Maman nous a préparé un bon dîner, dit-elle sous un mode murmuré, on va partir, on va y aller, on va faire un bon dîner, trop cuit mais tant pis, je meurs de faim.

Louis et Lucie avaient disparu. Habitué à vivre seul avec sa mère, Louis tout à coup s'était senti gêné. Selon lui, il se passait quelque chose qu'il ne devait ni voir ni entendre.

Suivi de Lucie, il était parti en courant jusque dehors sur le perron. Puis tous les deux avaient sans dégringoler dévalé les marches, et pour finir s'étaient installés à l'arrière de la voiture qui stationnait là, devant la maison, sachant qu'elle devait ressortir Lily ne l'avait pas rentrée dans le garage.

Il faisait encore très chaud. Louis avait ouvert toutes les portières, il savait y faire. Il alluma la radio. Le poste était réglé sur la chaîne ou station préférée de Lily : « Radio Memory », qui diffusait à longueur de journée les chansons du passé, souvent très jolies, toujours tristes, comme celle-ci dont la mélodie s'évadait dans l'atmosphère du soir d'été : *Que reste-t-il de nos amours ?*

Peut-être y pensait-elle quand Lily apparut tenant le bras de Braine. Lui, il avait encore dans les yeux des traces de larmes et un vague sourire un peu idiot traînait sur sa figure.

Il était près de neuf heures. La lumière de juillet exhibait son crépuscule. Une lumière qui embellissait tout ce qu'elle touchait. Tout ou à peu près. Pour certains objets ou visages, il n'y a rien à faire.

Les quatre Braine en profitaient, s'attardant comme s'ils avaient conscience de la présence du temps dans leur tableau vivant, immobiles et agglutinés autour de la voiture. Louis et Lucie maintenant attendaient que les parents se décident.

La nouvelle coiffure de Lily, très jolie, lui allait très bien, ainsi que sa robe neuve bleu nuit, neuve et paradoxale, les étoiles imprimées sur la jupe, scintillant au soleil rasant, étaient en avance sur le ciel.

Chacun se tenait près de sa portière ouverte. Lily avait délibérément placé Braine côté pilote. Il devait avoir compris. Il avait l'air très malheureux, regardant Lily. Celle-ci pensait l'encourager avec des mimiques ridicules et des bruits de gorge.

Avec sa bouche, Louis savait le faire aussi, elle imitait le moteur et avec ses bras le geste de tourner le volant. Braine ne réagissant pas, elle le poussa à l'intérieur.

La reprise en mains demanda un certain temps puis la voiture démarra. Louis était content que son père conduise. Braine ne savait pas où il allait. Lily en bouclant sa ceinture le lui avait rappelé : Nous allons dîner chez mes parents. Braine embraya comme une brute, laissant dans le gravier de profondes empreintes, passa le portail et, sortant sans aucune précaution, il se lança sur la route dans le mauvais sens.

Lily se rendit compte que Braine avait tout

oublié. Non seulement l'itinéraire mais la notion même de trajectoire. À plusieurs reprises, elle dut de sa propre main redresser la voiture. À la longue, elle donnait de la voix, distribuait ses ordres : Freine, disait-elle, il venait de manquer l'entrée de la propriété. Il avait dépassé la grille : Recule, dit-elle. Elle dirigea la fin de la manœuvre et la voiture entra, passant sous un vaste portique.

Une très jolie allée, avec soin revêtue d'un beau sable, ni clair ni foncé, moyen, pas trop fin, ça vire à la poussière à force. On avait du reste envisagé de bons gros pavés mais c'est mauvais pour les voitures et désagréable pour les passagers, disait avant de passer à table Johanna Sligo, s'adressant à Lily, qui savait tout ça, mais Braine ne réagissant pas, son regard était vide, Johanna devait donc cesser de s'adresser à lui : N'est-ce pas Lily ? Oui, mère. Louis et Lucie se partageaient un bol de cacahuètes salées.

Une très jolie allée, ocrement sablée, plantée d'une rangée double de grands arbres, à coup sûr des platanes, l'écorce lépreuse ne trompe pas, ni le feuillage, sur une longueur de cent mètres environ conduisait à la propriété, vous déposant au pied

34

d'un perron double, la voiture stoppa entre les deux escaliers.

Les quatre Braine se les partagèrent. Personne ne venant les accueillir, Lily tenant le bras de Braine emprunta l'escalier de droite, tandis que Louis, tenant Lucie en laisse, celui de gauche. Entre quinze et vingt marches de chaque côté, peut-être dix-huit, les deux couples les gravissant à peu près au même rythme, l'un très jeune et l'autre handicapé, ils étaient parvenus à mi-chemin, quand Johanna Sligo, sans doute alertée par le bruit du moteur, ou le claquement des portières, déboucha du côté gauche au sommet de l'escalier.

Elle vit son petit-fils, Louis, qui vers elle montait, les marches étaient profondes pour ses petites jambes, mais Lucie tirait et ça l'aidait. Alors sa grand-mère s'écria : Mais enfin, Louis, où est ta maman ? Nous sommes là ! répondit Lily, criant elle aussi, encore invisible dans l'escalier de droite.

Mon pauvre cœur, dit Johanna, comme j'ai eu peur quand j'ai vu que le petit était tout seul, je me suis dit : Il est encore arrivé un malheur. Oh, écoute, maman, dit Lily, vraiment, tu exagères, comment Louis serait-il venu tout seul ?

Je ne suis pas seul, dit Louis, je suis avec Lucie.
Dis bonjour, Lucie, dis bonjour à ta grand-mère.
La chienne jappa.

Ton père a raison, dit Johanna, cette chienne est
une sorcière, on ne sait jamais ce qu'elle pense : À
propos, dit-elle, observant le silence et la pâleur de
Braine : Tu ne me présentes pas ton mari ? Ah
non ! maman, s'il te plaît, dit Lily, ne me refais pas
ce coup-là, je t'en prie, pas aujourd'hui, dis-moi
plutôt comment va papa.

Il a beaucoup bu, dit Johanna, je vais avoir du
mal à le mettre à table, mais tu vas m'aider, n'est-ce
pas, chérie ? Bien entendu, dit Lily.

C'est la moindre des choses, se disait-elle, entraî-
nant Braine dans le vestibule qui avait conservé de
la nuit précédente une agréable fraîcheur : D'abord
parce que c'est mon père, et ensuite parce que c'est
ma faute, et la faute je la partage avec Braine : Lui
s'est endormi et moi je l'ai laissé dormir.

La faute, elle voulait aussi la partager avec le
temps, l'espace, le monde trop vaste, mais n'était
mariée qu'avec Braine : D'ailleurs, lui dit-elle en
enfonçant les ongles dans son biceps, à travers le
tissu de la veste et l'étoffe de la chemise il perçut

36

la douleur, il n'était donc pas insensible : Si besoin est, tu m'aideras à porter papa jusqu'à sa chaise. Louis et Lucie couraient dans les escaliers. Au rez-de-chaussée, à droite dans le couloir, une double porte haute, la salle à manger.

À l'intérieur, à table, à sa place attitrée, le maître de maison, Arthur Sligo, président de la société des Automobiles Sligo, finissait son entrée froide, un arrangement d'avocat et de crabe en pièces détachées, le tout agrémenté d'un bouquet de crevettes roses.

Je ne vous ai pas attendus davantage, dit-il à l'adresse du trio composé de Lily, Braine et Johanna. J'avais si faim, l'alcool lui avait décapé l'estomac, j'ai cru que j'allais m'évanouir : Suzanne ! Suzanne ! Il appelait la cuisinière : Tout le monde est là ! Vous pouvez servir ! À la cuisine, Suzanne s'occupait des petits, un menu spécial pour Lucie et Louis.

Le père Sligo observait Braine, et sa fille. Lily ne le quittait pas des yeux. Lâche-le un peu, dit-il avec la grossièreté de l'homme soûl qui s'est fait lui-même. Tu le reverras, prépare-lui plutôt un verre, et un pour moi, tiens, pendant que tu y es, en attendant la suite, le temps que vous avaliez votre entrée froide, bonne, d'ailleurs, bonne, je l'ai dit à Suzanne.

Lily laissa Braine. Il était beau dans son costume gris clair, dormant debout, et avec le col fermé de sa chemise blanche il avait l'air d'un paysan de la grande dépression, ne manquait plus que la casquette, il l'aurait ôtée en entrant, la tiendrait à deux mains, la faisant tourner pour calmer sa timidité et s'entendrait interpellé par le président :

Enlève ta veste, mon garçon, dit-il d'une voix vagabonde mais forte, roulant comme le tonnerre au loin : Mets-toi à l'aise, assieds-toi en face de moi, on a des choses à se dire. Toi, Johanna, tu te mets là à ma droite, et toi Lily à la droite de ton mari.

La cuisinière arrivait pour servir. Elle servait Lily. Celle-ci murmurante lui demanda des nouvelles des enfants : Tout va bien, madame, répondit Suzanne.

Braine regardait son entrée froide. C'était joli à voir. Suzanne avait bien travaillé. Le tout dans le freezer s'était bien conservé. Le dessert glacé aussi. Replacé depuis plus d'une heure dans le congélateur, ça devrait aller. Peut-être devrais-je le sortir ? Comment savoir ? A-t-il vraiment redurci ? S'inquiétait Suzanne, de même pour le gigot : Il est foutu, se dit-elle, il est foutu, ouvrant puis refermant la porte du four. La pièce de viande réduite de moitié était sèche et de nuance brunnoir.

Du reste, dans la salle à manger, personne ne mangeait, personne n'avait faim, ça chipotait, ça picorait des miettes de pain. L'entrée froide à peine goûtée, c'est dire. Quelque chose n'allait pas, ou quelqu'un, peut-être Braine ?

Attaque, mon garçon, attaque, lui disait le président. Tu dois mourir de faim ? Il faut reprendre des forces. Tu en auras besoin demain matin. Depuis combien de temps n'as-tu pas mangé ? Au moins vingt-quatre heures, dit Lily, peut-être même quarante-huit heures, à ce stade on n'a même plus faim. Il faudrait le faire manger. Le forcer un peu. C'est nécessaire.

Tiens, avale, mon chéri, dit-elle, lui présentant une fourchetée d'avocat au crabe. Braine ouvrit la bouche et la referma sur les dents de la fourchette. Ses propres dents grincèrent et firent grincer toutes les dents autour de la table quand Lily tira sur la fourchette.

Braine mastiquait. Lily pensa : Il aura au moins avalé ça, pourvu qu'il avale. Sa mère Johanna la regardait qui s'occupait de lui, ça lui rappelait Lily quand elle était bébé, elle souriait, attendrie. Le père souriait aussi.

Il réfléchissait, se demandait, renonça à interroger Braine sur l'abandon de l'uniforme. Ça m'aurait fait plaisir, se disait-il, de le voir en tenue d'été. Il s'en tint au registre classique : Alors, fiston, dit-il, c'était comment là-bas ? Bien, bien, dit Lily. Son père la regarda, puis Braine :

Bien, sans doute, j'imagine, mais dur aussi. Oui, dit Lily, dur, très dur. Le père : Si tu voulais bien la fermer et le laisser répondre lui-même. Lily devint rouge de colère, un flot de sang lui brûlait le visage : Tu ne vois pas qu'il est mort de fatigue ? Braine avait repoussé son assiette et dormait dans le creux de son coude.

Et à ce propos, ajouta Lily sur le même ton destiné à son père : Ne compte pas sur lui demain matin, il n'ira pas à l'atelier demain mais lundi prochain, si tout va bien. Il faut qu'il dorme. Dormir, dormir, le sommeil, il n'y a pas de meilleur remède. C'est vrai, dit Johanna, rien n'est plus vrai, nous n'aurions pas dû prévoir ce dîner de bienvenue le soir de son arrivée.

Et puis, compléta Lily, visant toujours son père : Tâche de prévenir ton chef d'atelier du retour de Braine, et que lui-même prévienne ses gars, qu'ils ont intérêt à lui foutre la paix. Autrement dit : Veille à ce qu'il n'ait pas la vie qu'il avait avant de se barrer à l'armée.

On décida d'aller se coucher. Lily décida ça. D'un regard échangé avec Johanna, elle jugea qu'il fallait coucher Braine. Que jamais elle n'aurait dû le réveiller tout à l'heure lorsqu'il dormait dans la chambre. Que toute cette soirée n'était que stupidité.

Tu vas donc m'aider à soutenir Braine jusqu'à la voiture, dit-elle à sa mère. La tête de Braine reposait dans le pli, renversée dans le pli de son coude bien à plat sur la table.

Les deux femmes s'approchaient du dormeur. Lily chuchotante recommandait à sa mère de ne pas le brusquer, sous peine de voir se déclencher une nouvelle crise de terreur : On va l'embrasser,

41

dit-elle, le caresser comme un bébé, lui parler doucement, et chacune d'un côté le faire lever, le mettre debout avec la plus extrême prudence.

Lorsque la tête de Braine fut réveillée puis redressée et calée, elles le saisirent par les aisselles et l'aidèrent à s'éloigner de sa chaise, puis à marcher.

Le président observait les faits, essayant sans y parvenir de comprendre ce qui se passait, finissant par se dire : Cette famille est une misérable famille. Je suis le chef d'une bande de misérables. Puis il se leva, tira de son étui un cigare, l'alluma en se dirigeant vers le salon, il le fumera devant la télévision.

Il tomba sur Louis et Lucie. À peine visibles dans l'immense sofa, ils se partageaient une grande boîte de noix de pécan : Ah, vous êtes là, vous deux, je vous y prends, dit le grand-père : Et alors ? dit-il, c'est bon ce que vous mangez ? Je peux goûter ? Louis lui balança une noix, saisie au vol, bouche ouverte : Hum ! pas mal, pas mal, dit le grand-père, et la télé, c'est bien ? C'est quoi ton film ? *Gilda*, dit Louis : Tu l'aimes bien Rita Hayworth ?

La porte s'ouvrit. Suzanne venait les chercher

Lucie et lui, leur père était assis dans la voiture, on n'attendait plus qu'eux pour s'en aller.

Moteur tournant, phares allumés, Lily au volant, puis démarrant sous les yeux émus de Johanna et de Suzanne leur faisant signe : Bon retour !

3

Lily veillait sur le sommeil de Braine. Avec Louis et Lucie, il s'agissait plutôt de surveillance. Les deux petits avaient reçu l'ordre de garder le silence. Louis ne comprenait pas en quoi consistait cette garde. Lily lui expliqua qu'en réalité il suffisait de ne pas faire de bruit. C'était la seule façon de garder le silence. Non, dit-elle, il n'en existe aucune autre. Tu comprends ? Non ? Tant pis. Allez jouer dans le jardin. Je ne veux pas vous entendre et surtout ne pas vous voir dans la maison.

Elle assistait à tous les réveils de Braine. Il vidait la carafe d'eau de la table de nuit, se levait pour faire pipi, se recouchait, se rendormait jusqu'au soir et le soir, Lily était là pour assister à son réveil.

C'est du reste un soir que la chose se produisit, une sorte de miracle.

Il commençait à sourire. Il disait merci, sans raison, le mot semblait lui plaire. Lily aussi semblait lui plaire, elle voyait ça à des détails, certains regards.

Elle voyait qu'il commençait à la voir quand il la regardait. C'est ce qui se passa ce soir-là. Elle vit qu'il la voyait quand il se réveilla. C'était net. Ça ne trompe pas. Il y avait dans son œil quelque chose de voyant, qu'elle pouvait voir en train de la voir, et dont elle pouvait se dire, sans rien laisser paraître : C'est bien moi qu'il regarde.

Il répéta merci. J'aime bien dire merci, dit-il, surtout à toi. Tu m'as laissé dormir. Tu as veillé sur moi. Donne-moi ta main. Elle la lui donna. Il y déposa un baiser léger. Puis, gardant cette main, avec cette main, il se palpa le visage, comme un singe qui apprend à se connaître.

Sa barbe avait poussé. Elle piquait la paume de la main. Je vais me raser, dit-il, et je vais manger, mais je vais d'abord me lever, et je vais me laver, m'habiller, me parfumer, en un mot me faire beau : Qu'est-ce que tu en penses ?

C'est une excellente idée, dit Lily, j'allais justement suggérer la même chose. Ah bon ? fit Braine : La même chose exactement ? Oui, dit Lily, enfin à peu près, j'envisageais que tu te lèves, que tu prennes un bain, sans oublier les dents, tu as très mauvaise haleine, ensuite t'habiller, te faire beau, enfin tu vois, à peu près la même chose que toi, ensuite tu descends avec nous, et on dîne tous les quatre : Tu en penses quoi ?

C'est drôle, dit Braine, j'allais justement te le proposer, et le voilà qui éclate de rire, Lily aussi, et d'un bond sortant du lit il se précipita sur elle : Va te laver, dit-elle, non, tu sens trop mauvais.

Ainsi de suite, les morceaux se recollaient. Il faisait beau. Un beau mois de juillet, un peu chaud mais très beau, et puis l'été c'est l'été. Il fera froid cet hiver. Braine se souvenait de ça, à peu près de tout le nécessaire.

Il se rappelait d'où il venait, et même d'où il revenait. Il était capable de se dire : J'ai failli ne pas revenir. Et mourir : J'ai failli mourir. Il était capable de se dire aussi ça, d'en être conscient comme personne. Oui, et alors ?

Rien, mais son retour au jour, à la lumière, pour

ne pas dire à la vie, son réveil à lui, ça n'était pas qu'un banal réveil.

La chose, pour lui, se passait, par exemple, comme pour un type myope à l'extrême qui pour la première fois voit, sa vue corrigée par des lunettes.

Il touchait à tout, avait envie de tout toucher et il aimait tout ce qu'il touchait. Lily, n'en parlons même pas. Louis et Lucie non plus. Ça va de soi. Tout ce qui se laissait toucher. Objets, fleurs, plantes, un vieux mur, ses outils dans la remise.

Il s'y arrêtait souvent, tripotait ce qui se présentait, n'importe quoi de pas rangé, ou de pas jeté, qui traîne sur l'établi, un peu de sciure, un marteau, un clou, un bout de bois, ou de planche qu'il serrait dans l'étau et d'un coup de scie faisait sauter un angle.

Lily était ravie. Elle appelait son père, le tenait informé des progrès réalisés, et à mon avis, disait-elle, une semaine de repos supplémentaire lui fera le plus grand bien. Elle utilisait le futur. Son père ne lui refusait rien.

Le lundi suivant, le huitième depuis son retour, peu avant huit heures, Braine cherchait une place pour sa voiture dans le parking du personnel de la Société des Automobiles Sligo.

Rien n'avait changé, le parc était saturé. Braine tournait dans les allées, sans vraiment chercher, se rendormant à son volant, Lily lui apparaissant, en parcelles de peau nue, des images d'amour comme des photos souvenirs l'accompagnaient dans les travées du parc, détournant sa conscience, l'obscurcissant.

Il s'éveilla de sa rêverie lorsqu'il vit, il aurait pu continuer comme ça, tourner et se représenter la fréquence et la beauté de ses jeux avec Lily, ça commençait du reste à l'inquiéter, ni l'un ni l'autre ne prenant de précautions : Tôt ou tard, se disait-il, je vois ça d'ici, je sais ce qu'elle va me dire : Louis va avoir un petit frère, et moi je dirai : Ou Lucie une petite sœur, et elle me dirait : Mais Lucie est une chienne, et ainsi de suite.

Braine ruminait tout ça lorsqu'il vit surgir devant lui une voiture qui reculait, libérant une place. Parfait, se dit-il, et il attendit. La voiture acheva sa manœuvre de sortie, très bien, impeccable, mais, au lieu de s'en aller, elle s'immobilisa dans le passage. Le conducteur en descendit et vint trouver Braine qui lui s'apprêtait à prendre la place :

Ça n'est pas très loyal, ce que tu fais là, dit-il à Braine, moi je me lève de bonne heure pour être à peu près sûr de trouver une place et toi tu t'amènes comme une fleur. Ça y est, pensa Braine, je suis réveillé : Mais, dit-il au gars, si je ne me trompe, tu partais, non ? Je me trompe ?

Quel ennui. Le gars lui expliqua qu'il avait oublié chez lui un papier important qu'il devait remettre au secrétariat aujourd'hui dernier délai. Tiens, d'ailleurs, pensa Braine, ça me rappelle que moi aussi je dois y passer au secrétariat, tandis que le gars poursuivait : Et quand je vais revenir, c'est sûr, tu seras à ma place.

Que faire ? J'y serai si je m'y mets, dit Braine, mais je ne vais pas m'y mettre, tu la retrouveras quand tu reviendras, à condition toutefois qu'un autre ne s'y mette pas.

Braine se félicitait d'être parvenu au bout de son raisonnement, le premier depuis longtemps, et d'une certaine complexité. Le gars le regardait. Jusque-là il regardait par terre, et sans doute aidé par tant de gentillesse, le cœur battant de reconnaissance, il releva la tête et s'écria : Braine, nom d'un chien, c'est toi ? Tu es revenu ?

Oui, dit Braine, comme tu vois. Le gars : C'était comment là-bas ? Bien, bien, dit Braine. Dur, j'imagine, dit l'autre. Très, dit Braine, maintenant si tu veux bien m'excuser, je suis déjà en retard, et je n'ai toujours pas trouvé de place. Prends la mienne, dit le gars, prends-la, je te l'offre.

Braine repensait à tout ça en patientant assis sur une chaise dans le bureau du secrétariat, service du personnel. Il se demandait pourquoi le gars, impossible de se souvenir de son nom, lui avait offert sa place : Était-ce parce qu'il avait failli se faire tuer ? Ou bien ? Il réfléchissait à une autre possibilité. Le plaisir l'étonnait qu'il prenait à penser. La secrétaire appela son nom.

Elle n'avait pas changé. Les lunettes, peut-être. Elle aurait changé de lunettes ? Non, elle n'en portait pas. C'est donc ça qui a changé, à présent elle porte des lunettes.

La dame, sans lever les yeux, lisant une fiche : Quelque chose a changé pendant votre absence ? Braine : Les murs, dit-il, je les vois verts, il me semble qu'avant ils étaient bleus.

C'est exact, dit la dame, mais ce que je vous demande, c'est de me dire, si, chez vous, dans votre vie, depuis que vous êtes parti, quelque chose a changé. Non, dit Braine, pas à ma connaissance. Donc, dit-elle, vous vous appelez toujours. Oui, il s'appelait toujours. Vous êtes toujours né à, le tant. Oui, en effet. Vous êtes encore marié ? Oui. Vous n'avez toujours qu'un enfant ? Oui, mais, se dit-il, au train où vont les choses. Votre adresse, vous habitez toujours ? Oui, madame. Votre téléphone c'est encore ? Non, dit Braine, lui, il a changé, maintenant c'est.

D'accord, dit-elle, c'est noté, se relisant. Elle lui tendit une feuille de papier : Ça, c'est votre convocation pour la visite médicale. Elle décrocha le téléphone : René ? Bonjour, c'est Simone, j'ai monsieur Braine dans mon bureau, tu vois qui je veux dire ? Je te l'envoie ou tu viens le chercher ? Oui, c'est ça, c'est lui, tu étais prévenu ? Très bien, à tout à l'heure.

Madame Simone pria Braine de bien vouloir patienter. Monsieur René allait venir le chercher. Braine attendait. Il regardait les murs, essayait de se rappeler la couleur, ce bleu dont madame

51

Simone disait que c'était exact, mais pour autant, quelle sorte de bleu ? N'était-ce pas bleu Lobélia ?

Et puis qui était ce René qui devait venir le chercher ? Sans doute le chef d'atelier. Qui d'autre ? Je n'ai d'ailleurs besoin de personne. Inutile de vous déranger. Je peux très bien y aller tout seul. Je sais où se trouve l'atelier :

J'y vais, je le traverse, c'est très grand, jusqu'au bureau du chef, je frappe, il me fait signe d'entrer, il est occupé avec un ouvrier, j'attends, ils ont terminé, l'ouvrier sort du bureau, je m'avance, la main tendue, je me présente, je vous en prie, dit le chef, je sais qui vous êtes.

Le téléphone sonne. Simone décroche : Oui, René, je t'écoute : Bon, d'accord, je te l'envoie. Alerté par la sonnerie puis les mots de réponse de Simone, Braine comprit qu'il s'agissait de lui.

J'ai compris, dit-il à Simone. Elle s'approchait. Elle avait ses lunettes à la main. Elle les agitait, les tenant par une branche, qu'ensuite elle se mit à sucer, puis l'ôtant de sa bouche :

Monsieur René, dit-elle, le chef d'atelier, est occupé pour le moment, il ne peut venir vous accueillir : Ça ne vous ennuie pas d'y aller tout seul ? Sur un ton, comme si elle avait dit : Vous n'aurez pas peur ? Elle suggéra : Je vous accompagne si vous voulez. Non, surtout pas, dit Braine, ne vous dérangez pas, merci, ça ira.

Les bureaux occupaient le premier niveau. Des femmes en grande quantité, en tenue d'été, autant dire désirables, quelques hommes en chemise et cravate, ou chemisette et cravate, de plus en plus, la chemisette.

Au rez-de-chaussée de surface identique, le hall d'exposition des voitures neuves. Un décor somptueux, des jolies filles en tailleur bleu, d'élégantes plantes. Une réception. Un espace voitures d'occasion tenu par des hommes en blaser gris. Un service rapide pour les menues interventions et de l'autre côté, pour les grandes, un immense atelier.

Des voitures par dizaines, de toutes les couleurs, capots levés, les ailes couvertes comme des bras de fauteuil club. Autant de mécaniciens, tous en bleu, la marque brodée en rouge sur la poche de poitrine d'une combinaison complète fermée par le devant, une fermeture Éclair allant du ventre jusqu'à la pomme d'Adam.

L'un d'eux siffle très fort un air, un autre chante,

pas le même air, c'est faux, c'est n'importe quoi, surtout le siffleur. Des hommes en blouse blanche s'arrêtent, regardent, repartent, parfois s'attardent pour expliquer ce qu'un gars ne comprend pas. Ça sent l'huile et l'essence. Le métal sonne quand les outils tombés rebondissent sur le sol. Un moteur hurla trois fois.

Braine frappa. Sur la porte vitrée, on pouvait lire, composé en majuscules autocollantes, le nom du chef d'atelier : M. RENÉ DUVALL. Il était occupé avec un ouvrier. Ça bardait. Derrière la porte, Braine croisa le regard en colère. René Duvall lui fit signe d'entrer.

Braine entra. L'ouvrier sortait. La main tendue, Braine se présenta : Inutile, fit Duvall, un homme grand et maigre, les cheveux bouclés coupés court, déjà grisonnants bien qu'il ait gardé sa figure d'enfant, saisissant quand même la main de Braine : Je sais qui vous êtes, dit-il, monsieur Sligo m'a prévenu de votre retour, je vous avais du reste reconnu, même si vous avez beaucoup maigri, et beaucoup souffert, m'a-t-on dit.

S'ensuivit un silence nécessaire, puis, surprenant Braine, c'était inattendu : Et moi ? dit-il en riant,

54

ses rides apparaissaient quand il riait : Vous me remettez ?

Bien entendu, dit Braine, vous êtes chef d'atelier, vous m'avez appris à travailler, il allait dire à vivre, c'est un peu la même chose, vous vous appelez René Duvall, avec deux « L » comme l'acteur de cinéma, mais tout le monde vous appelle monsieur René : Vous avez du travail pour moi ?

Braine crut percevoir une manière d'embarras. Duvall lui expliqua que la technique avait beaucoup évolué durant son absence. En deux ans, on a bien progressé dans la conception des automobiles, dit-il. Je vais vous mettre en duo pour commencer, le temps de vous réacclimater. Voici la clef de votre vestiaire. Vous allez vous mettre en tenue, je vous présenterai votre instructeur.

Braine ouvrit son vestiaire. Pas de femme nue sur la face interne de la porte, un bolide tout habillé pour la course, une Ford GT 40, les Américains débarquaient sur les circuits européens.

Il décrocha son bleu de travail du cintre qui le supportait et sa première pensée fut celle-ci : Je ne vais pas moisir longtemps dans cette boîte, je me suis déja barré une fois, je recommencerai.

Il faisait trop chaud pour une double épaisseur de tissu. Braine se débarrassa de ses vêtements de ville puis à même la peau il enfila sa combinaison, pour mémoire : Bleue, fermeture Éclair ventrale, logo rouge de la marque sur la poche pectorale.

Duvall s'adressait à un jeune mécanicien. Braine s'approchant reconnut le type du parking. Je te remercie, au fait, dit le gars, serrant la main de Braine, j'ai retrouvé ma place en revenant : Et toi ? dit-il, tu en as trouvé une ?

Je vois que vous vous connaissez, dit Duvall. Oui, dit Braine, on s'est rencontrés dans le parking, il partait, j'arrivais, on a parlé, je ne l'avais pas reconnu, lui non plus au début, il regardait par terre, et puis à la fin, je ne sais pourquoi, la reconnaissance s'est faite, il s'est écrié : Braine, nom d'un chien ! C'est toi, Braine ? Tu es revenu ? Je lui ai répondu oui mais je ne sais toujours pas qui il est. Si vous pouviez nous présenter.

Avec plaisir, dit Duvall, j'allais le faire, j'attendais la fin de votre histoire. Il les présenta. Le gars s'appelait Gasquet. Vous allez travailler ensemble pendant quelque temps. Je suis bien content, dit Gasquet, et puis au fait, tu ne m'as pas répondu tout à l'heure : Tu as trouvé une place ? Non, dit Braine, je l'ai laissée au bout d'une file, elle ne gêne pas.

Duvall les abandonna, se disant : J'ai affaire à deux bavards, ils vont discuter toute la journée, il va falloir surveiller ça.

Braine et Gasquet, en effet, parlaient, se dirigeant vers le poste de travail, observant divers arrêts, Gasquet disant à Braine : Demain, arrange-toi pour arriver plus tôt, ça t'évitera de laisser ta voiture n'importe où, car même si elle ne gêne personne, le gardien relève ton numéro et le signale à la direction.

Braine n'écoutait pas. Il pensait à l'autre choix, la dépanneuse. La vie au grand air. Toujours sur les routes. On rencontre toutes sortes de gens. On est pour eux une sorte de sauveur. On y croit. On en éprouve même, pourquoi pas, fierté et honneur.

Parvenu au poste de travail, Gasquet lui dit : Je sais ce que tu vas me dire. Ça m'étonnerait, dit Braine, mais dis toujours. Gasquet remettait ça avec le parking : Il y aura toujours un pauvre gars, et ainsi de suite. Oui, moi, dit Braine, je ne trouve jamais de place, je n'en ai peut-être pas, aucune, nulle part, je dis peut-être mais la chose est sûre, ça se sent, ces choses-là, ça se sait, on le sait en naissant.

Ils tournaient autour de la voiture. Elle était neuve. Elle attendait sa révision. La tienne est démodée, dit Gasquet, elle a quel âge ? Trois ans, dit Braine. Il se pencha sur le moteur de la dernière née. Divers éléments lui étaient étrangers. Gasquet pour lui les identifia et décrivit le montage.

La matinée s'étira comme ça. À midi, la sonnerie parvint à se hisser au-dessus du vacarme. Le sonore mélange de chocs et de cris, les machines-outils et les moteurs, tout ça peu à peu s'éteignit.

Dans les vestiaires, Braine eut droit à des mots et des gestes de sympathie. Il s'en trouva malgré lui un peu ému puis pensa que ça venait du patron relayé par Duvall : Soyez gentils avec lui, servez-lui des formules de bienvenue : Content de te revoir, en bon état, ou vivant, en entier, n'en faites pas trop, de nouveau parmi nous. Le mot « guerre » ne doit jamais être prononcé, rompez les rangs.

Il rentrait déjeuner au volant de sa voiture démodée. Par beau temps, ciel bleu, nuages blancs, mobiles sous le vent d'altitude, un ciel vivant, agréable à regarder. Deux heures de liberté. Reprise à quatorze heures précises.

Braine se demanda ce que Lily avait prévu pour le déjeuner. Il pensait à elle avec Louis et Lucie. Il les trouva tous les trois dans le jardin derrière la maison, occupés à étendre du linge sur un séchoir escamotable en forme de parapluie à l'envers. Ou plutôt Lily s'efforçait d'y suspendre un grand drap blanc pendant que Louis et Lucie faisaient tourner le parapluie retourné comme par grand vent.

Braine regardait le grand drap blanc. Il y projeta la pensée que le lavage avait fait disparaître ou tué toute trace de la substance qui déjà dans le corps de Lily galopait vers la mort, le frère ou la sœur de Louis, morts avant même de naître, puis il se porta au secours de Lily, la serra dans ses bras et, dispersant les mômes, l'aida à suspendre le drap.

La table était mise, le poulet cuit, les pommes de terre autour, le tout sortait du four. Braine découpa l'animal en pensant à lui plein de vie, ne se laissant pas attraper, cavalant de droite et de gauche et pour finir la gorge tranchée comme un civil, puis servit Louis et Lily, se servit, Lucie bien sage attendait son aile, contenant avec peine un important flux de salive. Chacun eut sa part de pommes grillées, son fromage, son dessert et hop, allez jouer.

Lily et Braine disposaient encore d'une bonne demi-heure. Ils la passèrent dans la chambre et quand le temps fut passé Braine se mit à parler, disant : Tu sais, Lily, je crois que je vais prendre la dépanneuse.

À la fin de la journée, la sonnerie de dix-huit heures tremblait de rage, Braine, avant même de passer au vestiaire, les mains noires, il les essuyait en marchant, avec un chiffon sale, se dirigeait vers le bureau de monsieur Duvall

Il frappa, entra et demanda s'il pouvait parler. Bien sûr, dit Duvall, je vous écoute. Eh bien voilà, dit Braine : Le président Sligo, avec qui je dînais l'autre soir, m'a clairement laissé le choix entre l'atelier et la dépanneuse : Je crois que je vais prendre la dépanneuse.

4

Lily était en train de repasser le grand drap blanc. Elle adorait ça. Johanna, sa mère, ne comprenait pas. Du reste, elle ne la laissait jamais tranquille. Elle devait le sentir. Elle téléphonait chaque fois que Lily repassait.

Bonjour, ma chérie, disait-elle, j'espère que je ne te dérange pas dans ce que tu es en train de faire, d'ailleurs, dis-moi, qu'es-tu en train de faire, en ce moment, par ce beau temps ?

Je repasse, dit Lily, et toi, maman ? Je m'inquiète du sort de ma petite fille, dit Johanna, car vraiment, je trouve que tu exagères : Nous te donnons, ton père et moi, de quoi t'offrir le pressing. Oui, maman, je sais, dit Lily, mais moi ça me plaît de faire ça, j'aime repasser le linge de ma petite famille.

Johanna : Nous t'avons trouvé cette jolie maison avec un grand et beau jardin. On ne t'y voit jamais. Tu pourrais t'y installer, te reposer, bronzer ou lire. Tu ne lis jamais. Tu n'aimes pas lire ? Non, dit Lily, ça me fait réfléchir. C'est plutôt bien, dit la mère. Non, dit Lily, c'est pas bien, ça me raconte des histoires qui me font envie, et tôt ou tard je me demande si la mienne vaut la peine. Je te laisse, ma chérie.

Elle repassait en regardant les jeux télévisés. Elle participait honnêtement. Elle essayait, en un temps donné, de répondre aux questions sans tricher. Elle gagnait souvent, se disait : J'aurais gagné tant. Elle entendit la cloche sonner.

Une main tenant la poignée tirait sur le cordon. La clochette s'agitait. Le marteau la frappait et des tintements aigus en résultaient au-dessus du portillon en bois des îles.

Braine voulait garder sa cloche. Il n'a jamais voulu qu'on la remplace par une sonnette électrique. Je l'aime, moi, cette cloche, disait-il, bien avant de s'engager. J'aime l'entendre. J'aime sa sonorité de solitude et de silence. Le côté musicien de Braine.

Lily aurait pu profiter de l'absence de Braine

pour électrifier le système. Elle aurait pu. Elle ne l'a pas fait, y a pensé mais ne l'a pas fait. Elle est restée fidèle à la cloche de Braine et de nouveau l'entendit sonner.

Qu'est-ce que c'est encore que ça ? dit Lily. Du reste, pourquoi dit-elle « encore » alors que personne n'est venu sonner de toute la matinée ? Une sonnerie est une sonnerie. Sans doute Lily tient-elle compte du téléphone de sa mère.

Le jeu télévisé va se poursuivre sans elle, c'est exaspérant ! Elle n'entendra pas les questions suivantes. Elle ne saura pas si elle a gagné, elle est exaspérée !

Elle éteignit son fer, pas la télévision et sortit du salon. Elle disposait dans la maison d'une pièce lingerie dite « buanderie » tout équipée. Je sais, disait-elle à sa mère Johanna, mais moi je préfère repasser dans mon salon.

Elle en sortait, se dirigea vers le portillon, vêtue d'un léger pantalon, d'une grande chemise, sandales aux pieds et cheveux noués d'un ruban sur la nuque, bleu, le ruban, bleu de Prusse, le catogan, coiffure mise à la mode vers 1780 par le général anglais Cadogan.

À quelque détail près, elle aurait pu être anglaise l'étrangère qui sonnait, la couleur de la peau, la forme du visage. Sa main droite gantée de coton blanc taché de graisse noire tenait encore la poignée et s'apprêtait à sonner pour la troisième fois. Lily ouvrit le portillon.

Le jaune dominait la lumière, c'en était éblouissant. Dans la lumière solaire le tailleur jaune de l'étrangère éblouissait, d'autant plus que par certain côté il semblait dévasté, touché par le tragique.

Bonjour, dit Lily, vous avez des ennuis ? Sa première tentation avait été de demander : Est-ce que je peux vous aider ? Mais d'avoir trop entendu cette formule dans les séries policières, elle se sentit gênée, s'abstint et s'en tint à de simples ennuis : Vous avez des ennuis ?

Ma question est idiote, se dit-elle, bien sûr qu'elle a des ennuis. Si elle n'en avait pas, tu crois qu'elle s'amuserait à tirer cette bon dieu de sonnette comme une fillette sur le chemin de l'école ?

Tout à coup, elle s'inquiéta de l'absence de Louis et de Lucie. En principe, quand ils entendent la cloche, où qu'ils soient, quoi qu'ils fassent, ils rappliquent à fond de train. Il faudra que je voie ça, pensa-t-elle, dès que j'aurai fini avec madame. Elle était blonde, jolie peut-être, on ne voyait pas la moitié de son visage. Les cheveux en bataille. Le vent chaud de la journée l'avait une fois pour toutes décoiffée et maintenant se contentait d'ajouter au désordre. Elle n'osait pas intervenir, ses gants étaient trop sales. Elle subissait, sachant que si elle se risquait à toucher son front perlé, elle y laisserait des traces noires.

Lily attendrie avança sa main propre et blanche, puis, d'autorité, écartant les mèches à demi collées de sueur, elle dégagea les deux yeux bleus de la femme ainsi que la rougeur des joues.

Merci, c'est très gentil, dit l'étrangère. Je vous dérange, excusez-moi, mais peut-être pourriez-vous me prêter un marteau ?

Bien sûr, dit Lily, mais quel genre de marteau ? Je veux dire : Pour quoi faire ? Parce que, voyez-vous, des marteaux, j'en ai de toutes les tailles : Si vous me disiez ce qui vous arrive ?

Je suis crevée à l'avant, dit la femme, dans le virage, là-haut, pas loin, donc il me faudrait un gros marteau pour taper sur la manivelle, je ne parviens pas à desserrer les écrous, vous auriez ça ?

J'ai beaucoup mieux, dit Lily, j'ai un mari. J'en avais un, dit la blonde en jaune, mais je ne vois pas, à moins que votre mari.

C'est ça, dit Lily, c'est tout à fait ça, il conduit la dépanneuse, il est le responsable des secours de la plus importante concession de la région, la Société des Automobiles Sligo, c'est mon père.

Très impressionnant, pensa l'étrangère : Et alors ? dit-elle, un peu sur les nerfs, car voyez-vous, je suis très pressée, donc si vous pouviez d'un mot me représenter mon avenir.

C'est très simple, dit Lily, vous entrez et vous vous mettez à l'ombre sous le grand lilas qui est là. Moi, je cours téléphoner à mon mari. Je reviens vous dire que c'est fait, que vous devez rejoindre votre véhicule et que lui sera sur place peu de temps après, ou même avant, ça dépend, il était dans sa dépanneuse quand il m'a répondu au téléphone, peut-être tout près de votre voiture, peut-être même passait-il devant ?

Elle est folle, c'est bien ma veine, pensa la jolie blonde en tailleur et chaussures jaunes, juste un petit haut blanc : Mais ma chère, dit-elle, comment pouvez-vous dire que votre mari vous a répondu au téléphone dans sa dépanneuse alors que vous ne l'avez pas encore appelé ?

C'est vrai, dit Lily, ne m'en veuillez pas, il m'arrive d'être confuse, ils appellent ça de la confusion mentale, des crises dues à l'émotion, mais je disais ça pour le cas où je parviendrais à le joindre dans sa dépanneuse, et qui sait, peut-être se trouvera-t-il tout près, peut-être même en train de passer devant votre voiture ?

Oui, allô, ma Lily chérie, dit Braine, je suis tout près, je rentrais à la maison, j'approche du virage en question, je vois une berline noire, une américaine non identifiée, au bord du fossé, relevée sur un côté, sans doute un pneu crevé, à l'avant, attends, je vérifie.

Oui, c'est l'avant qui est relevé, et je vois qui marche sur la route une femme blonde, aussi grande que toi, moins jolie que toi, c'est normal, tu es la plus jolie du monde, elle porte un tailleur jaune, sans doute la femme qui est venue sonner.

Oui, dit Lily, c'est elle, alors tâche de ne pas trop

la baratiner. Pas de danger, dit Braine, il y a aussi un homme, et plutôt beau mâle, si tu vois.

L'homme aussi souffrait de la chaleur. Sur l'herbe sa veste étendue et lui, en bras de chemise blanche dans le trou d'ombre du fossé, jambes allongées, bien calé, adossé à la pente, il s'essuyait les mains avec un grand mouchoir, obstinément il les frottait comme s'il eût voulu faire disparaître toute trace de cambouis.

L'énergie du dégoût. Le mépris de la mécanique. Les mains sales, le malaise des mains sales, au-delà de tout désagrément l'urgent besoin de se laver les mains.

L'observant, s'approchant, du haut de sa cabine, Braine pensait que l'homme lui aussi avait dû essayer de débloquer les écrous grippés de la roue.

Il rangea la dépanneuse derrière l'américaine échouée, suivi des yeux par l'étranger. Il avait un regard mauvais dissimulé sous une épaisse mèche de cheveux noirs humectée de chaleur. Il se frottait toujours les mains. L'acidité de la sueur dissolvait peu la graisse minérale.

La dépanneuse, c'était un G.M.C., General Motors Company, transformé pour le remorquage, surpuissant, il vous sortait n'importe quoi de l'ornière, même un camion. Chaque année, on le repeignait aux couleurs de la maison, un joli rouge et un beau vert, avec en noir sur blanc tous renseignements complémentaires.

La femme blonde en jaune, par ses derniers pas, rejoignait l'homme à l'épaisse chevelure noire. Quelques mots vifs et grossiers furent échangés. Braine n'entendit que bribes, un trait plus haut qu'un autre. Il descendit de sa cabine, s'approcha. Le couple cessa de se battre. Il les salua puis posa la question qui détend l'atmosphère ou l'exaspère tant la situation était claire : Qu'est-ce qui vous arrive ?

L'homme et la femme se sont considérés, chacun trop énervé semblant vouloir laisser à l'autre le soin de tout raconter. Du reste, il n'y avait rien à raconter.

Ils étaient l'un et l'autre exténués. Et puis ça se voyait, ce qui leur arrivait. Braine le savait avant même d'arriver sur les lieux. C'est lui qui leur raconta par quel miracle il était arrivé aussi vite, sachant que l'un et l'autre le savaient.

Tout en dépliant son matériel, il racontait son

histoire, par respect s'adressant à l'homme, la panne humiliant l'homme plus que la femme, avec de temps en temps un regard vers la femme pour approbation : Votre femme, dit-il, est venue sonner à la maison pour emprunter un marteau.

L'homme continuait de se frotter les mains : Elle n'est pas ma femme, dit-il. Bon, dit Braine, d'accord, disons votre amie, et ma femme a dit à votre amie : Je vais demander à mon mari, donc moi, de venir vous dépanner et me voilà, je suis même arrivé avant votre amie, n'est-ce pas madame ? Braine vit que la blonde souriait. Il est joli garçon mais il a l'air aussi cinglé que sa femme, se disait-elle.

Il n'avait pas perdu son temps. Un bon mécano ne parle jamais en restant sans rien faire. Il avait descendu l'avant de la voiture. Elle pesait maintenant sur le sol. Il avait sorti sa dévisseuse pneumatique, y avait adapté le six-pans, et en quelques couinements la roue était sortie, la neuve remontée, vissée, bloquée.

Braine travaillait avec des gants. Il offrit à l'ami de la femme blonde, l'homme au regard noir, un atomiseur de substance décapante et un chiffon propre.

L'homme se nettoyait les mains, tandis que Braine montait dans sa cabine, ouvrait la glacière et redescendait avec une bouteille d'eau et un gobelet, le tendait à la femme blonde, le lui remplissait. Elle buvait. Lui-même but à la bouteille puis il la passa à l'homme, qui avait si soif, il vida la bouteille et Braine s'écria : Eh bien voilà, messieurs-dames, je ne vous compte pas le déplacement, vous étiez sur mon chemin, je rentrais, sain et sauf.

Votre facture. Une petite signature. Là, oui, c'est ça, ici, voilà. Braine sépara la copie de l'original, le double était illisible, et remit son exemplaire à l'homme.

À propos, dit Braine, je vous conseille de faire dès aujourd'hui réparer votre pneu. On se croit à l'abri d'une deuxième tuile. Je sais bien que c'est rare mais quand même, faites-le.

Il remontait dans sa cabine. Elle était belle. Il en était fier. Toute rouge et verte, raison sociale et services divers. Un coup de klaxon le fit se retourner. Deux tons : sol-si.

La blonde à la portière lui faisait signe de venir voir près d'elle, voir ou entendre, le signe n'était pas précis, même obscur, par exemple : Viens voir ici, j'ai à te parler. Elle était donc au volant, l'homme à la mèche noire et regard mauvais assis à côté d'elle.

Braine s'approchait, se pencha, tenu à distance par son bras tendu et sa main refermée sur la gouttière du toit.

Sans ôter son regard du visage de Braine, la blonde en tailleur jaune lui parla de lui, elle lui donna son avis sur sa vie : Vous n'êtes pas fait pour ça, dit-elle, vous n'allez pas conduire cette dépanneuse toute votre vie ?

Qu'est-ce que j'en sais, moi, dit Braine, et vous ? Vous savez quoi de ce qui est bon pour moi ? Sur le sujet de ce pour quoi je suis fait ? Allez, vous feriez mieux de rouler.

L'étrangère tira une carte de visite de son sac, la tendit à Braine : Je viens de racheter, dit-elle, la boîte de nuit de la rue Saint-Philippe. J'ai besoin de monde. Réfléchissez, ça peut vous intéresser.

Oui, dit-elle, la rue Saint-Philippe dans le centre-ville. Braine semblait chercher, mais non, il rêvassait : Je la connais, dit-il, la rue, et la boîte, pas très reluisant, tout ça, j'ai traîné là-dedans quand j'avais dix-huit ans, ça s'appelait.

Ça s'appelle toujours, dit la blonde, mais ça va changer, tout va changer, le nom, la couleur, le style, la déco intérieure, et même l'extérieur : Une façade avec long store comme les clubs new-yorkais, si vous voyez ce que je veux dire.

Braine voyait très bien. Il connaissait la plupart des clubs. Et vous comptez l'appeler comment, cette merveille ? dit-il. Je n'ai rien décidé, dit la blonde, mais ça pourrait s'appeler Le Blue Sky, ou Le Blue Bird.

Et moi je m'appelle Braine, dit-il, et vous, vous vous appelez comment ? Rose Braxton, répondit la blonde. Elle parlait sans accent.

On se demandait d'où elle sortait. Ce qu'elle venait trafiquer par ici, à part inaugurer une boîte de nuit. Elle lui lança un dernier signe et embraya plutôt sèchement.

Il remonta dans la cabine de son engin américain. La blonde madame Braxton était certainement américaine et le type qui l'accompagnait une crapule latine, le genre garde du corps de la femme blanche riche.

Une voûte de beaux arbres couvrait la route. D'un côté à l'autre, les feuillages se joignaient, semblaient se saluer, ou saluer Braine qui là-dessous passait comme un jeune marié, les branches s'entremêlaient si bien, personne n'aurait pu dire à quel arbre elles appartenaient.

Moi, en tout cas, je ne pourrais pas, pensa Braine, poussant sa dépanneuse sous des ciels de verdure. Puis il pensa au déjeuner, sa petite famille : Si je traîne en route, les deux affamés, j'ai nommé Louis et Lucie, auront mangé toutes mes frites.

Lily tenait sa part au chaud, la plus grosse. Braine était souvent en retard et, aujourd'hui, la raison de ce retard, c'était. Il se représenta la femme blonde, son tailleur, ses chaussures jaunes, le même jaune que le tailleur, juste un petit haut blanc et se sentit tout drôle.

Ému, mal à l'aise, embarrassé, l'estomac noué et, se dit-il, la meilleure façon de chasser cette impression, c'est encore d'en parler, la réduire à sa juste dimension.

Ils allaient en parler à table, en déjeunant, lui et Lily, puisque c'est Lily qui avait envoyé la blonde voir Braine et Braine voir la blonde. Ils la connaissaient tous les deux. Dans ces conditions, on s'entend mieux. Ils allaient pouvoir en parler et

74

l'un à l'autre se poser la question : Alors, comment tu la trouves ? Et chacun, selon la réponse de l'autre, jugera de ce qu'il éprouve.

Tu ne manges pas ? dit Lily, c'est pourtant le menu que tu préfères, quelque chose ne va pas ? Il n'avait pas faim. Il savait pourquoi. Et quand ce fut le moment, il se montra incapable de dire ce qu'il pensait de l'étrangère, et il ne protesta même pas lorsque Lily en quelques mots lui régla son compte.

Il était contrarié. Louis bouffait ses frites, Lucie sa viande et il laissait faire. Un instant, afin de dissiper sa morosité, il eut l'idée de parler des projets de l'Américaine, sa boîte de nuit, son besoin de monde. Il savait ça, lui, et pas Lily. Elle s'appelle Rose Braxton, moi je le sais et pas toi.

Alors ? dit-elle, comment ça s'est passé ? Elle déposait une tasse de café sur la table. Grâce à cette question, il allait peut-être : Et avec tout ça, dit Lily, tu n'auras rien mangé, c'est quand même idiot, tu ne crois pas ? Braine détestait cette méthode, une méthode de femme, pensait-il. Il se trompait. Lily n'y pensait déjà plus. Braine répondit quand même :

Normalement, dit-il, je suis rentré par la belle route, tu sais celle. Je sais, dit Lily, et elle t'a parlé ? Oui, dit-il, elle m'a parlé de toi, cette route me parle toujours de toi, ses arbres s'aiment comme nous on s'aime.

Les élans lyriques de Braine lui perçaient le cœur. Elle se pencha sur lui, l'entoura de ses bras : Et la blonde, dit-elle, elle t'a parlé ? Oui, dit-il, à la fin, juste avant de se séparer, elle m'a confié qu'elle avait racheté la boîte de la rue Saint-Philippe, tu te souviens quand j'y jouais ? Et toi tu étais là, tu m'attendais, tu restais jusqu'à la fermeture, on partait tous les deux, on s'embrassait, je te raccompagnais à cause de la nuit, tu te souviens comme c'était désert, j'étais fier, j'avais peur mais j'étais fier.

Mais, dit-il, j'écoutais à peine les détails que me donnait la blonde, j'étais surtout curieux du type louche assis près d'elle. Il portait une arme dans un étui sous son aisselle. Lily se rappela celle de Braine. À nouveau elle se demanda si la planque était sûre.

Et à part ça ? dit-elle. Rien, dit Braine, elle a simplement dit qu'elle aura besoin de monde. Et entre autres, j'imagine, des musiciens ? dit-elle. C'est possible, dit-il.

Et pour la première fois depuis son séjour à la guerre, et même avant, depuis des années et des années, à vrai dire depuis quinze ans, il se représenta son bugle couleur cuivre dans la mallette ouverte, couché dans son empreinte de velours rouge.

Qu'est-ce que j'ai bien pu en faire ? Où peut-il être ? Peut-être est-il resté chez mes parents ? Non, non, je me souviens très bien de l'avoir emporté quand on est venus s'installer ici.

Lily devait le savoir. Pourquoi ne pas lui demander où elle l'a rangé ? Et quand je dis rangé, c'est plutôt planqué que je devrais dire, que je ne puisse surtout par le voir, et même ne jamais le revoir, beaucoup trop dangereux, aussi dangereux qu'une arme à feu, demandez à Lily.

Mais alors, pourquoi ne pas l'avoir jeté, c'était réglé, quoique, je peux toujours en acheter un autre, mais pourquoi ne l'avoir pas fait, le pistolet aussi du reste ?

Selon lui, Lily avait jugé ne pas en avoir le droit, certains objets étant inséparables d'un être. Quant au pistolet, même volé à l'armée, lui et Braine étaient liés, se tuer lui et toute la famille si besoin était.

Le bugle, c'est différent, tout aussi vicieux mais différent, ça peut l'entraîner à la dérive comme à dix-huit ans et tout démolir. Surtout le bugle, c'est un instrument trompeur, voire traître, il n'a pas la rectitude de la trompette, il est plus court, rond, grave, suave, d'une suavité sombre, mélancolique, un son de velours violet.

Oublié, tout ça, oublié, et puis voilà que ça revient, ça remonte. Ne t'inquiète pas. Il suffit de dire non. C'est simple, je vous dis non. Je ne jouerai jamais plus de mon bugle et mon pistolet restera là où il est, et moi, brave garçon, je vais continuer à conduire la dépanneuse, et de temps en temps j'aurai le bonheur de changer la roue d'une brune en tailleur rouge, patronne d'un night-club, il lui manquera un musicien : Vous ne connaissez pas quelqu'un ?

La rouge n'était qu'un rêve. La jaune, elle existait, était bel et bien réelle, difficile de la nier. Il y parvenait à peu près quand elle fit une apparition vers la fin de la matinée.

J'ai suivi votre conseil, dit-elle, je vous ai apporté ma roue à réparer. Vous avez bien fait, dit Braine, mais vous avez failli me manquer, je viens juste de rentrer.

Oui, dit l'Américaine blonde sans accent, j'ai eu peur, je ne voyais pas le remorqueur, j'ai cru que vous étiez parti, il n'en est rien, dieu merci, j'aurais détesté confier ma roue à un autre que vous, et je ne pouvais pas vous attendre, j'étais chagrinée à l'idée de vous manquer.

Lucien se serait occupé de vous, dit Braine, il n'est pas aussi joli garçon mais il travaille très bien, même mieux que moi, moi je préfère déboucher les gicleurs, recaler les allumeurs, remplacer une tringle de boîte de vitesses, des petites choses comme ça, qu'on peut faire sur place, c'est mieux que changer une roue, sauf bien sûr si la conductrice est jolie.

Lucien n'était pas loin. Il voyait ce qui se passait. Il entendait tout, s'inquiétait pour Braine et Lily. Il le savait fragile, trop sensible au charme d'une femme comme ça, se disant qu'une blonde comme celle-là, si elle commence à vous faire du plat, on a intérêt à se méfier, elle cherche à vous mouiller dans son trafic.

Un autre matin, elle revint. Braine était de mauvaise humeur et en même temps très content, si c'est possible. Pour Braine, ça l'était : Lily lui avait dit non, pas d'amour ce matin, pour aussitôt lui annoncer : Je suis enceinte !

Mauvaise et bonne humeur, il traînait les deux dans son cœur. La gaieté ne parvenait pas à chasser la tristesse. Très content, certes, il adore les enfants, mais ne supporte pas que Lily lui dise non, pas de ça, quand il a envie d'elle.

Elle a dit : Ça suffit, avec tes folies j'en attends un deuxième. Braine lui a d'abord donné une claque pas forte et ensuite il n'arrêtait plus de l'embrasser, enfin il est parti au travail.

Rose Braxton, matinale, l'attendait. Elle venait reprendre sa roue. Lucien l'avait réparée. Elle entraîna Braine à l'écart. Elle avait à lui parler.

À l'idée d'être à nouveau papa, la mauvaise humeur de Braine virait à la joie. Je suppose, dit-il, que vous allez encore me parler de votre boîte de nuit ? Il la regardait. Elle lui plaisait. Même beaucoup, mais se laisser aller à ça, se disait-il, ce serait pour Lily un trop sale coup : Qu'est-ce que vous pensez de Ferdinand, comme prénom, pour un enfant ?

Je n'aime pas trop, je l'avoue, dit Rose, ça me

rappelle de vilaines choses : Pourquoi ? C'est pour vous ? Vous attendez un heureux événement ? Oui, dit Braine, et vous ? Elle baissa les yeux sur son ventre, à deux mains le palpa : Quoi, moi ? dit-elle, pourquoi vous me dites ça ? Pour me faire de la peine ?

Non, dit-il, pas du tout, mais vous, vous attendez quoi ? Je ne comprends pas, dit-elle. Je vous explique, dit Braine : Ma femme, que j'aime par-dessus tout, attend, de moi, un autre enfant, mais vous, de moi, vous attendez quoi ?

Elle allait répondre. Il ajouta : Je ne sais rien faire, à part dépanner les voitures conduites par des blondes qui crèvent, je ne suis pas maçon, ni menuisier, ni plombier, ni électricien, ni rien, mon père me méprise, ma mère me pleure, leur fils n'est plus.

Rose Braxton regardait Braine faire son numéro, du reste assez réussi. Ce garçon a du talent, se disait-elle, il est drôle sans le savoir : Vous n'oubliez pas quelque chose ?

Il se figea : Je ne sais pas, dit-il, que suis-je censé avoir oublié ? Elle : Réfléchissez. Lui : Je ne vois pas. Que vous êtes musicien, dit-elle, ce sont des choses qu'on n'oublie pas. Allez savoir, dit Braine, mais, plus sérieusement : Qui vous a dit ça ?

Peu importait. Elle le savait. Ça suffisait. Elle reprenait l'avantage : Peu importe, dit-elle, je le sais, ça me suffit. Braine n'était plus tranquille, après quinze ans d'oubli il n'était plus tranquille. Que répondre à ça, et surtout à cette femme-là ?

Lui dire que si, la musique c'est comme le reste, ça s'oublie. Tenez, vous, par exemple, dit-il, je vous reconnais mais je vous avais oubliée.

Et puis d'abord, les jazzmen au chômage ne manquent pas, alors qu'est-ce que vous venez me casser les pieds ?

Il garda le silence un moment, le temps de se calmer, puis reparla : Moi, dit-il, vous voyez, j'aime ma femme mais ma femme elle n'aime pas les musiciens, elle trouve que ce sont des voyous, et elle a raison, on nous pardonne, on nous passe tout, parce qu'on fait de la bonne musique, mais on est quand même des voyous.

Rose Braxton s'amusait bien. Il n'avait pas fini. Plus il parlait, plus elle le capturait : Moi-même, dit-il, j'en étais un, voyou, et Lily m'aimait, elle aimait le tout, le musicien et le voyou, mais du jour au lendemain, son père, qui nous entretenait, a dit : Finie la musique de nègre, la musique de cinglés, c'est terminé. Je n'ai jamais revu mon bugle, j'en aurais pleuré, alors je me suis barré.

Rose Braxton gâchait de longues américaines qu'elle allumait pour bientôt les écraser sous la fine semelle de son soulier jaune. Elle n'aspirait que deux ou trois bouffées. Braine n'avait vu ça qu'au cinéma. Lana Turner le faisait très bien.

Le temps était lourd comme aujourd'hui. Cet agent de fraîcheur qu'est le vent était tombé. Braine reparla : Que voulez-vous que je vous dise ? J'ai essayé à ma façon de vous faire comprendre que j'aime la musique plus que tout, plus que ma femme et mes enfants, j'en attends un autre pour le printemps, à condition que Lily ne se soit pas encore foutue dedans, elle ne sait jamais où elle en est, elle a très souvent du retard sans objet, j'ai sans doute tort de me réjouir, mais si c'est vrai, je ne peux pas accepter votre offre, si offre il y a, parce que je sais qu'elle nous conduira à la catastrophe, et quand je dis ça, je pense à un drame.

Vous exagérez, je crois, dit Rose Braxton, la musique n'est pas si dangereuse. Le jazz, si, dit-il, c'est toujours risqué de se donner en entier, vous changez de langue, vous pensez et vous parlez jazz, bientôt vous n'êtes plus que ça, vous n'êtes plus dans ce monde.

Et puis d'ailleurs, Braine n'aurait recommencé qu'avec ses anciens partenaires. Encore vivants ? Pas vus depuis quinze ans. Vous comptez les retrouver comment ? Je m'en charge, dit-elle. J'ai juste besoin des noms et des adresses de l'époque.

Braine lui procura ce qu'il possédait en toute quiétude, sachant qu'aucune démarche n'aboutirait, et en même temps une légère anxiété mêlée d'espoir : Et si elle les retrouvait ? Si elle parvenait à les convaincre ? Avec beaucoup d'argent, pourquoi pas ? Elle en promettait beaucoup.

5

Orlando, nous le connaissons. Il était dans la voiture en panne. Il faisait très chaud. On s'en souvient.

Pas plus que Rose Braxton, sa protégée, il n'avait réussi à desserrer les écrous grippés de la roue avant gauche. Il avait laissé Rose se débrouiller avant de se décider à intervenir. Elle ne voulait pas qu'on l'aide, ne demandait rien, décidait seule. Elle attendit d'être épuisée, à force de pousser sur la manivelle, lui fit signe de se lever, il était assis dans l'herbe.

Il détestait la mécanique, les mains sales. On n'a pas oublié ses cheveux noirs, son regard mauvais, la longue mèche épaisse. Sa figure adolescente faisait peur.

C'est donc lui qui fut chargé par madame Braxton de retrouver et si possible de ramener les anciens partenaires de Braine : Tu as compris ? À n'importe quel prix. Tu promets contrat et importante rémunération, de solides garanties : Tu entends ? Qu'est-ce que tu dis ? Non, pas la force, même si nécessaire, pas de ça ici. Rien d'autre ? Au travail.

Le ventre de Lily commençait de s'arrondir et, un matin, Orlando s'en alla en costume clair, à la main une serviette de cuir fin, emplie de documents en plusieurs exemplaires, contrats, chéquiers, chemises cartonnées, une boîte de trombones, trois stylos bille et plume.

Il avait frappé à la porte du bureau. Il attendit et entendit : Entrez. Il entra, s'avança. Alors, mon petit Dodo ? dit Rose. Elle l'appelait volontiers Dodo plutôt qu'Orlando, elle détestait ce prénom, le jugeait surfait : Te voilà prêt à partir, et tu viens embrasser ta jolie maîtresse, eh bien viens, qu'est-ce que tu attends ? Il s'approcha. Elle le saisit par les épaules avec une force qui toujours étonnait Dodo.

Tu as tout ce qu'il te faut ? Oui, dit-il, mais. Mais

quoi ? Lui : Il y a dans tout ça quelque chose que je ne comprends pas : Pourquoi ne pas engager des musiciens professionnels ? J'ai mes raisons, dit Rose, ne t'occupe pas de ça. Mais, dit-il. Elle : Tais-toi, contente-toi de faire ce que je te demande, et puis, entre nous, tu n'as pas à te plaindre, tu vas te promener dans Paris, alors que moi, les travaux, les gravats, les devis.

Les quatre musiciens, Nassoy le bassiste, Patrick le pianiste, le saxophoniste Christian, le batteur Claude, tous habitaient Paris quinze ans auparavant, restait à vérifier s'ils n'avaient pas déménagé, s'ils étaient toujours musiciens, et surtout toujours vivants.

Des garçons d'une trentaine d'années, on pouvait l'espérer. Ils résidaient dans différents quartiers de divers arrondissements : XXe, XIXe, VIe, XIVe.

Le téléphone a beaucoup servi. Vous habitez toujours ? Oui, pourquoi ? Eh bien voilà. Ah non, il n'habite plus ici. Quel dommage. À tout hasard, vous n'auriez pas sa nouvelle adresse ? Oui, je dois avoir ça, attendez. Oui, ne quittez pas. Il n'est plus chez nous, ses parents, depuis longtemps, attendez un instant.

Orlando au téléphone se présentait : Je suis un ami de Braine, je vous appelle de sa part. Ensuite il demandait : Vous vous souvenez de lui ? La réponse était : Bien sûr ! Vous êtes toujours musicien ? Oui et non, ça dépend. Ou bien : Oui, toujours. Ou encore : Non, plus du tout, même si je joue de temps en temps.

Aucun n'était devenu professionnel. Ensemble ou séparés, ils avaient essayé, s'étaient accrochés pendant des années, à la fin on lâche prise. Ils n'aimaient pas en parler. Il allait bien falloir, pourtant. On était là pour ça.

Interrogés sur le musicien Braine, ils étaient tous d'accord. Braine était un improvisateur exceptionnel. Que ce soit dans le milieu amateur très nombreux ou chez les professionnels, ils n'avaient jamais rien entendu d'aussi fort, et à l'époque, quand on disait ça, il est fort, ça voulait tout dire.

Braine en pensait autant des quatre autres. Pas de questions à se poser, on jouait, on ne disait rien, on se regardait.

Sortis de là, ils gagnaient leur vie. Le saxophone employé de banque. Le pianiste professeur d'université et chercheur. Le bassiste en usine dans l'aéronautique. Le batteur survivait en traînant dans les clubs.

Voilà en gros ce que j'ai appris sur ces gens, dit Orlando, ils ont l'air bien. Il parlait sous le regard de sa patronne. Elle semblait le découvrir, comme si on venait de le tirer d'une tribu primitive, l'air de Paris avait creusé ses traits d'Indien.

Tu leur as fait signer des documents ? Non, dit-il. Pourquoi ? Réponse : Je te l'ai déjà dit, ce sont des gars bien, ils n'accepteront de l'argent que s'ils sont de nouveau capables de jouer comme avant, au même niveau. Elle : Ça veut dire combien de temps ? Lui : Je leur ai dit qu'on ouvrait avant le printemps. On est fin septembre, dit Rose, ça leur laisse le temps.

Elle le complimenta de nouveau. Il eut droit à un petit bécot, puis : Le problème, maintenant, dit-elle, le vrai problème, tu m'entends, c'est de convaincre Braine.

Elle semblait bien le connaître. Elle parlait de son entêtement et d'aspects autres de son caractère. C'est idiot. Comment l'aurait-elle connu ? Et où ?

Braine, en tout cas, ne connaissait pas Rose. Son

regard sur elle fut celui d'un garçon plaisant sur une jolie femme dans l'ennui, et ensuite au travail. Elle, au contraire, regardait Braine comme une femme qui, sans être reconnue, s'amuse de reconnaître un homme.

Non, madame, dit Orlando. Tu m'appelles madame à présent, imbécile ? dit Rose. Oui, dit-il, si ça ne vous gêne pas, je trouve ça moins vulgaire que patronne, là-bas ça allait mais ici, ça la fiche mal, donc je reprends :

La vraie difficulté n'est pas de convaincre Braine, c'est de tenir la chose secrète, aussi longtemps que ce sera nécessaire. Il devra mentir et se cacher. Ce qui pose deux problèmes :

1) Reprendre le travail musical à l'insu de tous.

2) Mentir à toute sa famille, tromper les siens.

Je me demande s'il en est capable. Mais oui, dit Rose, j'en suis sûre. Elle pensait même que Braine n'attendait que ça.

Un matin, il sortait sa voiture du garage avec un peu de retard. Orlando l'attendait garé au coin, embusqué comme un gangster. Braine démarra. Il le suivit. Sur une longue ligne droite et déserte, il le dépassa et l'obligea à stopper.

Braine sortit de sa voiture avec un grand sourire, et bientôt la main tendue face à Orlando qui lui-même souriait et tendait la main : Qu'est-ce qui vous arrive ?

Orlando : Je me suis absenté un certain temps. En effet, dit Braine, je me demandais où vous étiez passé. J'étais à Paris, je cherchais vos amis. Et alors ? Je les ai trouvés, tous, et je leur ai proposé, de votre part, moyennant une forte somme, de reconstituer la formation qui était la vôtre, et qui devra se produire dans un club dont l'ouverture est prévue à la fin de l'année. Ils sont tous d'accord. Ils attendent votre appel.

Ça alors, dit Braine après un silence assez long passé à guetter dans le regard d'Orlando quelque chose de faux, d'indiscutablement faux :

Alors vous avez revu Christian, et Patrick, et Claude, et Nassoy ? J'ai peine à le croire. C'est bien vrai tout ça ? Vous ne me racontez pas d'histoire ? Non, dit Orlando, madame Braxton me l'a demandé et je l'ai fait, pour elle, et pour vous, car je vous aime bien, figurez-vous, et je crois qu'elle aussi vous aime bien.

Ça lui tira une esquisse de sourire, à Braine :

Mais, dit-il, comment avez-vous fait pour les trouver ? J'ai utilisé vos données. Mais elles pouvaient avoir changé, c'était même probable. Un sur quatre, répondit Orlando, j'ai eu de la chance.

Le téléphone des trois autres n'avait pas changé, j'ai pu leur parler avant de les voir. Ils m'ont aidé à trouver le quatrième, le batteur Claude. Il traînait dans les clubs. Je les ai tous faits. Un gars très gentil, le plus gentil des quatre, disponible, dans une sorte de misère.

Bien qu'il ait cessé de jouer, Claude était le seul à ne pas s'être éloigné du jazz. Et les autres ? Qu'étaient-ils devenus ? Que faisaient-ils ?

Christian, par exemple, a vendu son saxophone pour payer la caution de son appartement. Il a trouvé du travail dans une banque. Il est marié. Il a une fille et un garçon. Il avait les larmes aux yeux quand je lui ai dit que je venais de votre part.

Patrick, un autre genre. Brillantes études de physique et mathématiques. Il enseigne à la faculté et dirige un centre de recherche qui publie des articles de très haut niveau et manque de crédits. Il a toujours son piano chez lui, il en joue. Quand je lui ai parlé de vous, il a réfléchi en tirant sur sa pipe et il a juste dit : Braine, oui, il jouait vraiment bien.

Nassoy n'a pas pu se séparer de sa basse. Il en joue souvent par-dessus les disques, c'est lui qui dit ça, par-dessus. Il végète dans une usine. Il est partant. Il n'y croit pas. On ne lui a jamais proposé autant d'argent. Et toujours à propos de Nassoy, avec sa tête et son sourire de môme, il m'a dit qu'avec Lily, lui et vous, il y avait eu des histoires, que vous deviez vous en souvenir.

C'est vrai, dit Braine, je m'en souviens, il m'a cédé la place avec beaucoup d'élégance, il adorait Lily.

Il serra la main d'Orlando, le remercia pour lui et ses amis, son cœur battait si fort, comme jamais depuis sa guerre, puis il remonta dans sa voiture, pour en redescendre aussitôt et se précipiter vers Orlando qui, lui, montait dans la sienne. Il a oublié de me dire quelque chose, se dit-il, et en effet : J'ai oublié de vous dire, j'aimerais beaucoup remercier madame Braxton, je ne sais comment la joindre, j'ignore même où elle vit.

Orlando, l'air pincé, répondit qu'il n'était pas autorisé à le dire. Je suis navré. Il aurait bien voulu, regrettait, et conseilla à Braine de ne pas chercher à la rencontrer sur le chantier, elle n'y mettait jamais les pieds.

Braine regagna sa voiture tandis qu'Orlando lançait la sienne sans ménagement. Le bruit du moteur était beau. Il faut être musicien pour aimer le bruit d'un moteur. Il le pensa et, au lieu de se rendre à son travail, fit demi-tour et rentra chez lui.

La maison sera vide, il le savait. On était mercredi et tous les mercredis Lily emmenait Louis et Lucie voir les animaux en cage et, immanquablement, Louis se plaignait de les voir enfermés.

Il demandait chaque fois pourquoi on les enferme, et Lily lui répondait : On les enferme pour que tu puisses les voir, mon chéri. S'ils étaient libres, tu ne les verrais jamais, il faudrait aller dans leur pays, et c'est loin, et même dans leur pays, tu ne pourrais pas les voir, ils sont tellement libres. Et pourquoi on n'y va pas ? Un jour, peut-être, on ira. La chienne Lucie musardait sous les cages.

Braine traînant dans la maison se demandait où pouvait bien se trouver son bugle. Il fouillait partout, cherchait n'importe où et très vite se rendit compte qu'il faisait tout pour retarder sa découverte.

Arrête, se dit-il, tu sais très bien où Lily l'a planqué, où elle cache toujours ce qui doit rester hors de portée, perdu de vue. Pour la sécurité de toute la famille.

Il s'empara d'une chaise solide et, la portant à bout de bras, monta dans la chambre où se trouvait la grande armoire. La chaise était trop basse. Il se haussa à l'aide des deux annuaires. Ça allait mieux mais Braine n'y voyait toujours rien. Il ne pouvait que tâtonner et ratisser la surface plate et poussiéreuse. Sa main rencontra l'étui du pistolet :

Elle a bien fait de le mettre là, le petit ne risque pas d'aller le chercher, et c'est en pensant à Lily et à Louis, à ce que Lily allait penser de lui, que Louis et lui avaient le même âge mental, qu'il parvint à cette conclusion : Son bugle ne pouvait pas être ailleurs. Il tâtonna plus à droite dans cette couche de poussière assez écœurante, et sa main rencontra la mallette.

6

Le travail à la maison n'était pas envisageable.
Lily ne devait rien savoir, jusqu'à nouvel ordre, de
ce qui se préparait. Braine s'exerçait dans la nature.
Ce fut possible avec l'aide de Lucien. Ils par-
taient tous les deux en dépannage, s'arrêtaient en
route, Braine descendait avec sa mallette, s'enfonçait dans le champ, s'installait sous un arbre et là
il travaillait certaines figures pendant que Lucien
dépannait une brune en tailleur rouge. Son travail
terminé, il reprenait Braine au passage, et si
l'heure le permettait il s'asseyait à côté de lui et
l'écoutait.
Braine progressait. Chaque jour d'un demi-ton.
Une nouvelle gamme, seule façon de les apprendre
toutes, être capable de passer de l'une à l'autre,

même la plus éloignée, et s'imposer trois ou quatre figures dans chaque tonalité.

C'est intéressant, dit Lucien. Pour sa part, pas l'ombre d'une brune en tailleur rouge. Un pauvre type dans une vieille tire. La pompe à essence. Lucien lui a bricolé un petit provisoire. C'est très intéressant, dit-il, mais pourquoi ne pas faire ça chez toi ?

Braine lui expliqua. Lucien ne comprenait pas. Braine recommença, disant que : Même si Lily en a plus qu'assez d'emmener Louis dans ce qu'il appelle la prison des animaux, ils ont sûrement fait quelque chose de mal, disait Louis, c'est sa vie, et elle entend que sa vie reste tranquille.

Lucien : Et si tu lui disais ce que tu m'as dit à moi, qu'on t'offrait beaucoup d'argent pour jouer du jazz dans un club ?

L'argent, dit Braine, elle s'en fout, elle n'en a jamais manqué. Son père, comme si je n'existais pas, continue de l'arroser tous les mois. Ce qu'elle veut, c'est vivre tranquille avec moi. Du reste, on attend un deuxième enfant. Sans blague ! dit Lucien : Raison de plus pour lui dire la vérité.

Le soir, le téléphone sonnait dans la maison.

Braine avait passé la consigne : Si vous tombez sur ma femme, autrement dit : Si c'est Lily qui te répond, tu lui dis : Je suis un camarade de Braine, un camarade de guerre, puis-je lui parler ?

Si je suis là, je te prends, bien sûr, mais si je suis absent, pas rentré du boulot ou autre, tu ne laisses pas de message, tu dis : Merci, madame, je rappellerai, si vous le permettez. Si elle te dit oui, tu rappelles, et si elle te dit non, je préférerais que vous vous absteniez, votre voix me semble celle d'un homme peu fréquentable, tu rappelles quand même.

Lily : C'était qui ? Braine : Un vieux copain à moi, un camarade de guerre, l'un des rares à s'en être tiré. Lily : Et tu as besoin de t'isoler pour parler à cette rareté ? Et en plus tu chuchotes, tu complotes, c'est encore pire. C'est efficace, remarque, je n'entends qu'un murmure. Qu'est-ce que tu mijotes ?

Autant que je te le dise, dit Braine, on m'a offert beaucoup d'argent. Elle : Pour quoi faire, un mauvais coup ? Non, simplement de la musique. Elle : Depuis quand offre-t-on beaucoup d'argent à un musicien, si c'est juste pour l'entendre, qui plus est un musicien de jazz, car j'imagine qu'il s'agit de jazz ?

C'est ça, n'est-ce pas ? C'est ce que j'appelle un mauvais coup. Tu ne le vois pas venir ? Tu ne le sens pas ? Et puis d'abord, qui t'offre autant d'argent ? Une femme, dit-il, très jolie et très riche, à ne pas savoir quoi faire de son fric, la preuve.

D'où elle sort ? Je n'en sais rien, je l'ai rencontrée sur la route, en dépannage. Ça, je le sais, dit Lily, c'est moi qui te l'ai envoyée. J'oubliais, dit Braine, mais ce que tu ignores, c'est qu'un homme était avec elle, un type inquiétant, au fond très sympathique, c'est lui qui, de sa part à elle, m'a proposé le travail.

Une certaine madame Braxton, j'ai oublié son prénom. Elle savait que j'étais musicien, et ça, je te le dis à toi, ça m'intrigue énormément, ça me fait même un peu peur. Elle me connaît, c'est évident, mais d'où ? De la guerre ? Lily : Tu ne veux pas savoir ce que j'en pense ? Si, dit-il, bien sûr, si tu as une idée, parce que moi, à bien y réfléchir, et depuis hier je ne fais que ça, je ne vois qu'une solution.

Je ne te l'ai jamais écrit, mais j'ai joué un peu de trompette dans un bar de la zone sud. Elle m'a peut-être entendu dans ce bar, entendu et vu, mais moi non, je n'ai d'elle aucun souvenir, je ne la connais pas. Jolie comme elle est, dit Lily, tu t'en souviendrais. Ton oubli d'elle est peut-être le résultat de ton coma. Son ironie le fit sourire. Elle poursuivit sur le même ton :

Moi, je la vois très bien. J'ai déjà vu le film. Elle est accoudée à un guéridon derrière la colonne, elle sirote son bourbon. Tu n'as vraiment rien vu ? Pas un genou ? Pas un fume-cigarette ? Pas même la fumée de cette cigarette ?

J'ai retrouvé son prénom, dit-il, elle s'appelle Rose, Rose Braxton, et si, comme je le crois maintenant, ma supposition est juste, elle doit être américaine et avoir fait fortune là-bas dans différents trafics, ensuite elle est rentrée pendant que nous on se faisait massacrer pour protéger leur fuite, la sienne et celle d'autres comme elle.

Lily fut une nouvelle fois tentée de lui demander pourquoi il s'était engagé dans une armée en guerre, qui plus est étrangère. Elle n'en fit rien et fit bien. Inutile de s'exposer. Elle risquait d'entendre ça : Je ne sais pas, j'avais sans doute besoin de changer d'air.

La vérité fut renvoyée à plus tard et, changeant de conversation, elle lui demanda qui étaient les inconnus du téléphone. Il lui raconta toute l'histoire. Un rire pas franc la secoua pendant un instant.

Ensuite on se demanda si Braine allait conserver son poste au dépannage, ou s'il allait travailler la musique à plein temps en attendant l'ouverture de la boîte.

Rue Saint-Philippe, dit-il. Je vois, dit-elle, et je me souviens aussi bien que toi, puis elle l'interrogea sur les autres, ne parvenait pas à comprendre comment on les avait retrouvés, et surtout comment ils avaient fait pour survivre sans une belle-famille fortunée.

Si on dormait, maintenant ? dit-elle. Je crois qu'il est temps, non ? Tu n'es pas de mon avis ? Non, dit Braine et, abandonnant sa position de réflexion, assis en tailleur, il se renversa sur Lily, son ventre devenait rond :

Oh, pardon, dit-il, j'oubliais. Il renonçait, tourna sur son côté, s'en allait dormir. Tu peux venir, dit

Lily, il n'y a aucun danger pour le bébé. Il vint à elle et ensuite, pour ne pas changer, se sentit complètement perdu. Il eut besoin de refaire tout le chemin jusqu'à son départ pour cette guerre, son séjour au front, sa fausse mort, son retour, il n'était pas sûr d'être encore musicien, ni d'avoir envie de l'être encore.

Ce qui serait bien, dit-il avec les mains réunies derrière la nuque, ça lui relevait un peu la tête : Ce qui serait bien, et il libéra l'une de ses mains pour saisir la cigarette qu'il serrait entre ses lèvres, la fumée le piquait et faisait pleurer son œil droit.

Ce qui serait bien, dit Braine, se frottant l'œil, ce serait que tu suggères à Johanna ta mère d'organiser un dîner, durant lequel on pourrait voir avec le président ton père, s'il serait d'accord pour nous verser, ou plutôt, enfin bref, tu vois ce que je veux dire, en attendant que je touche mon argent, s'il le faut je lui donnerai ma parole de soldat et je lui raconterai la mort, il adore ça. J'y avais pensé, balbutia Lily, elle s'endormait.

Le jeudi suivant, il pleuvait. Ça ne changeait pas tout, non, mais les esprits, après des semaines de chaleur et de lumière vive, s'en ressentaient, on était déprimé, un peu triste. La température n'avait guère baissé et la lumière était pesante, lourde et sombre comme du plomb, décourageante.

Lily ne se sentait plus d'attaque pour affronter la patience de son père, et Braine, de son côté, la mémoire prise dans cette ambiance très tropicale, pensait mousson, bourbier, marécage, route spongieuse, cadavres pourrissant, tout vous dégoûte, on ne veut plus se battre, on est prêt à se rendre pour une couchette au sec et un café.

J'ai envie d'un café, dit-il. C'est quand qu'elle arrive ma nouvelle petite sœur ? dit Louis, tenant Lucie dans ses bras. Exactement, je ne sais pas, dit Lily, disons dans quelques mois. C'est elle qui conduisait.

La voiture très propre, comme neuve, venait de s'engager dans l'allée cavalière. Lily maudissait sa mère. Du sable, a-t-on idée ? Avait-elle des chevaux ? Non, alors pourquoi pas du goudron ou des pavés, à la rigueur du gravier ? Elle imaginait, à chaque tour de roue, que les pneus projetaient du sable sur la carrosserie. Elle était exaspérée.

J'ai envie d'un café, dit Braine. Lily : Tu l'as déjà dit, un peu de patience, mon gars, tu en auras après dîner autant que tu voudras. Oui mais moi c'est maintenant que j'en ai envie, dit Braine, pas dans trois heures. Et moi ? dit Lily, tu sais de quoi j'ai envie ? Sans doute voulait-elle parler d'une envie absurde de femme enceinte.

Après le dîner, Suzanne servait le café. Braine, servi le premier, avait déjà vidé sa tasse : J'en prendrais bien une autre, dit-il à Suzanne. Elle avait un faible pour Braine. Elle le servit, penchée sur lui, à portée de son odeur véritable.

Le président Sligo allumait son cigare, avec soin, lenteur, le bout tournant dans la flamme jaune de l'allumette qui produisait à chaque bouffée une poussée d'incandescence. Le vieux offrit à Braine de l'imiter. Celui-ci refusa, disant : C'est trop fort, ce serait gâché.

Ah bah tiens, à ce propos, fiston, dit le beau-père, j'y repense seulement maintenant en te regardant, c'est que tu es joli garçon, c'est vrai, elle a raison, la femme qui m'a dit ça, parlant de toi, avant-hier.

Ah bon ? fit Braine. Lily et Johanna, fuyant la puanteur du cigare, étaient sorties de table puis, passées au salon, s'étaient jointes à Louis et Lucie devant la télévision. On passait un Minnelli : *Comme un torrent*, avec Sinatra.

Ah bon ? fit Braine. Oui, fiston, dit le vieux : Figure-toi que cette femme, très jolie, et quand je dis très jolie, tu me suis, enfin bref : Figure-toi qu'elle a tenu à se faire accompagner jusqu'à mon bureau, elle voulait me remercier, moi, personnellement, pour la qualité de mes services. Lequel, précisément ? lui dis-je.

Et la voilà qui se met à me parler de toi. Elle m'a dit qu'elle te connaissait et se disait enchantée de te retrouver grâce à ce qu'elle a appelé le plus beau des hasards. Elle t'a souvent entendu jouer. Elle admire ton style, elle adore, et ta personnalité, et si j'ai bien compris, tu lui plais, alors écoute-moi bien :

Tu vas me faire le plaisir d'accepter son offre, d'ailleurs j'ai déjà dit oui, je te libère, congé illimité avec solde, tu gardes ton salaire jusqu'au jour où elle-même te paiera.

Tiens, dit-il, voilà sa carte, appelle-la de ma part pour la remercier. Je suis invité à la première, et si Lily t'ennuie, tu me l'envoies, tu lui dis que moi je suis d'accord.

Il faisait nuit. La pluie tombait toujours. Regarde-moi ça, dit Lily, dans quel état elle est, je viens de la laver. Des projections de sable s'étaient collées aux flancs de la voiture. Les enfants dormaient. Braine portait Louis sur son épaule. Lucie dans les bras de Lily. Chacun ouvrit une portière à l'arrière. On les coucha sans trop les bouger. Les feux de position s'allumèrent. La voiture s'en alla.

Au retour comme à l'aller, Lily conduisait. Tu t'es bien dégonflé, dit-elle. Je sais, dit Braine, je n'ai pas saisi l'occasion, ou plutôt je l'ai attendue, elle ne venait pas, et plus je tardais, plus l'effort de parler devenait démesuré, alors j'ai commencé à compter sur toi.

Comme d'habitude, dit Lily.

Mais de ton côté non plus ça ne venait pas, alors je me suis dit, après tout, je m'en fous, surtout quand je t'ai vue partir avec ta mère pour la télé : Et alors, ce film, c'était bien ?

Formidable ! dit Lily. Elle se rangea sur le bas-côté. Elle avait le sourire. Elle était très émue. Il fallait qu'elle s'arrête. Braine : Pourquoi tu t'arrêtes ? Elle : Pour te parler. Lui : Me parler de quoi ? Elle : Du film.

À un moment donné, dit-elle. Lily avait les yeux pleins de larmes : À un moment donné, Sinatra donne à lire à Shirley MacLaine le livre qu'il a écrit. Elle le lit. Il est présent. Il tourne en rond. Elle a fini. Il lui demande ce qu'elle en pense. Elle répond qu'elle trouve ça beau. Alors lui, très énervé, il la prend pour une gourde, il lui dit : Et pourquoi tu trouves ça beau ? Comme si on pouvait dire pourquoi. Mais elle, Shirley la gourde, elle lui répond : Parce que je t'aime.

Lily redémarra sans commentaire. S'arrêta de nouveau et, elle regardait Braine, lui aussi la regardait, elle lui dit : Je n'ai jamais entendu une réplique aussi belle, et je pleure parce que lui ne l'aime pas, c'est trop triste, et aussi parce que j'ai compris que ce qui est beau comme l'amour ne se fabrique pas sous une bagnole qui pisse de l'huile.

Elle sanglota quelques instants, immobile dans la nuit noire, la conscience claire comme la lune quand elle est pleine, puis reparla :

Alors j'ai honte d'avoir eu peur de parler à mon père, mais ça ne fait rien, on se passera de lui, n'est-ce pas, mon chéri ?

Ne t'en fais pas, dit Braine, tout est réglé. Réglé ?

dit-elle, comment ça, qu'est-ce que tu veux dire ?
J'ai parlé à ton père, dit-il, ou plutôt c'est lui qui
m'a parlé, je ne lui ai rien demandé :

Rose Braxton est allée le voir. Elle lui a parlé de
moi. Elle me veut dans son club. Elle me rachète,
j'ignore à quel prix et ton père accepte. Il me libère,
me paie mon salaire jusqu'à ce que je touche mon
cachet, qui, si j'ai bien compris, devrait être très
important.

C'est merveilleux, dit Lily, à peine audible, nasa-
lisante, elle se mouchait : Mais quand je pense à
mon père, je me demande ce qui lui a pris. Braine
dit : Je crois que la mère Braxton lui a tapé dans
l'œil.

Et à toi ? dit Lily. À moi aussi, dit Braine, elle
nous a tous séduits. C'est la nature, dit Lily, mais
faites bien attention, ces femmes-là sont mauvaises.

7

Jusqu'ici, les échanges avaient lieu par téléphone. Braine appelait les autres, ou les autres
l'appelaient pour évoquer certains sujets, techni-
ques ou non, répertoire, arrangements, tonalités,
transpositions possibles.

Ou par courrier. Deux ou trois fois par semaine,
Braine recevait des enveloppes de toutes les tailles
avec dedans, outre un petit mot plaisant, du papier à musique noirci d'une écriture souvent illisible.

Patrick, par exemple, le pianiste, ses notes, les
noires, c'étaient des points avec des queues comme
des virgules, tracés sur du papier réglé à portées
minuscules, impossible de décider si la note était
sur la ligne ou entre deux lignes.

Au téléphone ou par écrit, on se comprenait mal. Il allait falloir se réunir, se voir, se regarder, se parler en se regardant.

Braine se demandait quelle tête ils avaient maintenant. S'ils allaient se reconnaître, se supporter après tout ce temps passé à s'ignorer. On verra bien. Le plus urgent était de fixer une période, et surtout trouver un endroit pour travailler.

Braine appela madame Braxton, lui expliqua et Orlando fut chargé de s'occuper de ça. Deux jours plus tard, il téléphonait : Ça vous dérange, dit-il, de jouer dans une grange ? Pas du tout, dit Braine, Charlie Parker l'a fait.

Très bien, dit Orlando, j'ai trouvé ça à trois bornes d'ici, un coup de bagnole, en cinq minutes on y est : Ça vous va ? Impeccable, dit Braine.

Un silence, puis : Mais pas avant une bonne semaine, dit Orlando, beau comme un gangster de 1950 : Le temps de nettoyer le sol, remplacer quelques tuiles, installer une estrade : Il vous faut, si je ne me trompe pas, un plancher rigide pour la batterie, de quoi l'arrimer, sinon elle se balade.

Exact, dit Braine, juste pour le batteur, nous autres on se contente de la terre battue. Très drôle, dit Orlando, mais je vous dis non, j'ai prévu une estrade pour tout le monde, vous serez mieux que dans la poussière, pas vrai ? Si vous le dites, dit Braine. Orlando ajouta : Les instruments de musique sont des mécaniques très délicates. Braine le remercia.

Ça sentait les chevaux, le travail des champs, le vieux foin, ils le sentiront quand ils viendront, avec le silence, un peu de paille dans un coin, et quelquefois le réveil d'une odeur d'étable.

Justement, dit Braine, à propos des instruments, vous avez prévu quoi ? Je dis vous, je veux dire madame Braxton : Il nous faut une batterie complète, une contrebasse de bonne facture, un piano droit suffira, deux saxophones, ténor et soprano, moi je n'ai besoin de rien, j'ai mon bugle.

Orlando : Ton quoi ?

Mon bugle, une sorte de trompette, un clairon à pistons, d'ailleurs tiens, prévoyez donc une trompette aussi et un jeu de sourdines, de temps en temps, ça me changera. Ce sera tout ? fit Orlando, l'air de dire : Surtout ne vous gênez pas.

Oui, c'est tout, enfin je crois, dit Braine, mais je doute que vous trouviez tout ça en ville, mais peut-être, après tout, pourquoi pas, sinon il faudra retourner à Paris.

Orlando allait raccrocher. Attendez ! Attendez ! Oui, quoi ? Il va sans dire que le piano droit c'est pour la grange uniquement, au club il faudra prévoir au minimum un demi-queue. Oui, ça va sans dire, allez salut. On dirait que c'est lui qui paye, songea Braine.

Il avait prévenu les autres. Je vous ferai signe deux semaines à l'avance, mais prenez vos dispositions dès maintenant.

Tant bien que mal, ce fut fait. Le pianiste se fit remplacer à la faculté et réorganisa l'équipe de recherche. Le saxophoniste ne trouva aucun arrangement, il démissionna de son poste à la banque. On avait localisé le taudis du batteur. Braine avait dit : Vous l'amenez, quel que soit l'état dans lequel il est. Le bassiste, à son usine, ils ne l'ont jamais revu.

Pour le voyage, on décida, ce sera le train. Le rendez-vous commun fixé par téléphone. La roue des emplois du temps s'arrêta sur un matin d'automne. Le train partait à dix heures. On ne s'était jamais revus. Une demi-heure avant le départ, en tête de voie. Le premier arrivé attend les autres. Quatre places groupées. Voiture 12. Voie 08.

Ils avaient dû se passer le mot. Aucun ne tendit la main. Des sauvages. Ils ne voulaient pas se toucher. Ils se regardaient, prenaient le temps de se reconnaître. Ça se lisait dans les regards, la même peine, la même gêne, ils avaient ça en commun, d'avoir déserté.

Le pianiste sans doute moins que les autres. Le jazz dans sa vie n'avait jamais été sa musique préférée, mais il l'aimait, et lui aussi était ému quand il a vu les autres sur le quai.

Un voyage en silence. Juste des échanges avec les yeux, des coins de sourire. On faisait semblant de dormir. On regardait la campagne s'en aller, toujours remplacée, increvable. Rien n'est plus triste, même si parfois une bande d'oiseaux, le cœur serré à l'idée qu'il n'est plus temps de reculer.

Tout ira mieux deux heures plus tard. Braine les attendait la main tendue. Ils ne l'ont pas refusée. Ils ont même trouvé ça agréable, à tel point qu'ils s'attrapèrent les mains, les secouèrent et, riant, allaient même jusqu'à s'embrasser.

113

Ensuite, on s'est tassés dans la voiture de Braine, ou plutôt celle de Lily : C'est la voiture de ma femme, dit-il. On ne lui demandait rien.

Deux à l'avant, trois à l'arrière. La question vint de l'arrière : Ah bon, tu es marié ? Oui, dit-il, et j'ai un enfant, et j'en attends un autre pour le printemps. Moi, j'ai deux fils, dit le saxophoniste, je les ai laissés avec leur mère. Les trois autres vivaient seuls. On arrivait.

Braine quitta la route sur la gauche, s'engagea dans un chemin, deux ornières parallèles, et s'arrêta un peu plus loin, face au pignon de la grange.

Orlando les attendait. Costume bleu à rayures, le genre proxénète avec mèche noire filtrant le regard : Qui c'est, celui-là ? dit le bassiste. Il faut le connaître, dit Braine. On descendit de voiture. Orlando s'approcha. Il les regardait, dans le détail, se disant : C'est pour ces minables que la patronne fait tant d'histoires ?

Braine fit les présentations : Messieurs, dit-il, voici monsieur Orlando, protecteur et bras droit de madame Rose Braxton, notre mécène et propriétaire du futur club, Le Blue Sky, ou Le Blue

Bird, ou Le Blue Moon, je ne sais pas : Où on en est avec ça ?

Et c'est ça, le futur club ? Le bassiste ricanait : C'est rustique, dit-il. On avait entièrement refait la grande porte. Des panneaux blindés, une énorme serrure de coffre, Orlando la fit jouer.

Le soleil était déjà là. Il entrait par une large baie percée du côté opposé, ses dorures répandues sur le sol levaient une légère poussière. Les instruments brillaient. Ça miroitait surtout sur les rondeurs de la batterie, ses flancs pailletés de marbre vert, et sur tous les métaux jaunes ou argentés, tomes, cymbales et autre caisse claire.

Il y avait même des radiateurs. Orlando avait abattu un sacré boulot, et Nassoy le bassiste pensa : On sera très bien ici, on n'a qu'à rester là, les gens viendront ici et puis voilà.

Il imaginait les paysans venant s'entasser dans la grange le soir après les champs et les vaches. Il ne se trompait guère. Quelque temps plus tard, les premiers curieux s'arrêtaient. On ne les chassait pas, même si parfois les jeunes se foutaient ouvertement de leur gueule.

Je l'aurais préférée brune ou châtain clair, dit

Nassoy, mais rousse, comme ça, je reconnais qu'elle est belle. Il parlait de sa basse. Les autres ne parlaient pas. En silence et avec lenteur, comme des enfants le matin de Noël s'approchent du sapin, ils s'approchaient de l'estrade, vaste plancher de bois verni, y montaient puis rejoignaient leur place.

Les instruments étaient répartis selon la disposition habituelle. À gauche et de profil, le piano droit, noir et somme toute sympathique, et surtout sonnant bien et juste. Au centre, la contrebasse, rousse foncée, feu, rougeâtre. À droite, du très beau matériel, une magnifique batterie complète. Les deux solistes debout devant.

Christian ne disait rien. Il regardait le saxophone ténor et le petit soprano tout neufs. On les avait sortis des valises, monté les becs, engagé les anches, et même si tout ça n'allait pas convenir, bec trop ouvert, anche trop faible ou trop forte, ça faisait quand même plaisir, très plaisir.

Ils ont fini par y toucher, et l'un après l'autre les faire un peu sonner, histoire de se rendre compte. Il suffit que le batteur lance un tempo, la basse le rejoint avec une ligne de blues, le piano n'a plus qu'à se laisser aller.

Orlando intervint, donnant de la voix. Lentement, tout s'arrêta. La basse résista seule au silence pendant de longues secondes, ça nous fit bien rire, puis on écouta ce qu'Orlando avait à dire : Reste à savoir maintenant où vous allez dormir, dit-il. Ici, on sera très bien, dit le bassiste, avec plein de paille, on a chaud dans la paille. Il plaisante, dit Braine.

Rose Braxton avait réservé quatre belles chambres à l'hôtel d'Angleterre, pour une durée indéterminée, hôtel voisin du night-club en chantier.

Bon, eh bien, dit Braine, on va y aller, c'est en ville, pas très loin, à l'entrée : Vous vous installez, ensuite quartier libre. Vous pouvez vous balader, visiter la ville. On fera ce qu'on voudra, dit Nassoy, et si tu veux que ça marche entre nous, je te conseille de changer de ton et de style, tu n'es pas le patron.

Bien sûr, bien sûr, dit Braine, je disais ça comme ça, vous êtes libres : L'important, notez-le, c'est qu'on a rendez-vous pour dîner au restaurant de l'hôtel avec madame Braxton à huit heures précises.

On embarqua dans les voitures. Orlando en prit un dans la sienne. Il ouvrit le chemin jusqu'à l'hôtel. Il s'occupa des réservations. Les accompagnant dans l'ascenseur, les couloirs, il s'étonnait de ce que les gars aient si peu de bagages, un sac ou deux, comme s'ils venaient pour le week-end. C'est bizarre, pensait-il, ces gars-là sont bizarres. Ils prévoient sans doute qu'on va aussi les habiller.

Braine rentrait chez lui. Alors ? dit Lily, ça s'est bien passé ? Son ventre s'arrondissait. Braine tardait à répondre. Elle était nerveuse. Elle insista : À la grange, ça s'est bien passé ? Et à l'hôtel ?

Mais oui, mais oui, dit Braine, il avait hâte de les rejoindre. Le matériel, dit-il, les a beaucoup impressionnés. Quant à l'hôtel, on ne peut rêver mieux, ils sont ravis, j'ai vu une chambre, je peux te dire : Tu étais content de les revoir ? dit Lily, et eux, ils étaient contents de te revoir ? Vous étiez contents de vous revoir ?

Je la connais, pensa Braine, ces rafales de questions, au bord des larmes, quelque chose la tourmente : Et, demanda Lily, sa voix tremblait : Tu as vu la mère Braxton ? La mère, la mère, dit Braine, comme tu y vas, pourquoi tu dis ça ? Elle est encore jeune. En tout cas, non, je ne l'ai pas vue, je la verrai ce soir.

118

Ah bon, dit Lily, d'une pâleur inquiétante. Oui, dit Braine, on est tous invités à dîner au restaurant de l'hôtel. Lily : Je vais appeler ma mère, elle va nous garder Louis et Lucie, celui que j'ai dans le ventre, je m'en charge. Inutile, dit Braine. Elle : Tu trouves que c'est inutile ? Non, d'appeler ta mère, dit Braine, tu n'es pas invitée.

Elle se déroba, le soir, quand Braine, prêt à partir, plus apprêté qu'à l'accoutumée, voulut l'embrasser. Elle frissonna, entre-temps avait beaucoup pleuré, en cachette, occupée ici ou là pendant que Braine se parfumait : Ne rentre pas trop tard, dit-elle. Lui : Compte sur moi.

Il faisait nuit. La voiture fit demi-tour et roula jusqu'au portail, puis elle freina et on vit s'allumer les stops rouges. Ils fonctionnent, pensa Lily.

C'est vrai, se disait-elle, s'éloignant du perron pour entrer dans la maison : Quand on s'en va, seul dans la nuit, on ne sait jamais si les signaux se voient. Et la voilà qui s'imagine qu'un flic l'arrête. Elle baisse sa glace et le flic, la saluant, lui dit : Excusez-moi, mademoiselle, votre feu arrière droit ne fonctionne pas.

Mademoiselle ! Moi ! Une poule pondeuse ! Elle

119

riait comme une folle en entrant dans la maison et du plat de la main faisait claquer son ventre.

Louis et Lucie regardaient la télévision. Ils se partageaient un cornet de spécialités apéritives chinoises. Lily hurlant : Nom de dieu, arrêtez de vous bourrer avec ces saloperies, on va bientôt dîner, puis, pleurnichant, singeant Louis : J'ai pas faim, maman, j'ai pas faim, voilà ce que je vais entendre, alors j'aime autant vous prévenir : Ce soir, vous n'avez pas intérêt.

Je suis vraiment cinglée, se disait-elle, et elle s'installa avec eux, Louis et la chienne Lucie, devant la télévision. C'était le jeu d'avant le journal. Les questions tombaient, capitales. Facile, disait Lily. Louis riait. Lucie jappait. Elle connaissait toutes les réponses.

8

Le pianiste avait brossé ses cheveux blonds et changé de chemise. Il buvait un verre et lisait une *Introduction à la cybernétique* rédigée par un certain W. Ross Ashby.

Il était calme, ne parlait jamais. Si vous l'y obligiez, il vous regardait, et ses yeux bleus étaient si clairs, ils vous décourageaient et en même temps vous obligeaient à réfléchir : Qu'avais-je donc de si important à lui dire ? L'intelligence du groupe. Une immense culture musicale.

Le batteur le regardait lire. Sans jamais le perdre de vue, il tirait sur sa cigarette, sa main tremblait, ses doigts, la cigarette entre ses doigts. Il l'approchait de sa bouche et, bien après qu'elle eut quitté ses lèvres, il aspirait encore, l'air sifflait entre ses dents, jaunes comme le blanc de ses yeux.

Le saxophone et la basse s'entendaient bien. Ils se connaissaient depuis longtemps, habitaient le même quartier, se voyaient très souvent dans le temps. La basse riait beaucoup. Le saxophone inquiet souriait seulement, et tout à coup la basse se mettait à chanter un thème de Mingus ou Parker, ou Rollins, le saxophone suivait et cette fois il riait. Nassoy et Christian.

On attendait madame Braxton. Elle apparut coulée dans une robe jaune à rayures verticales vertes, au bras d'un Orlando en costume blanc, col ouvert, pochette noire.

Le pianiste referma son livre. Il continuait de penser et hochait la tête. Toujours opinant il écrasa son petit cigare. Le paragraphe qu'il venait de lire lui avait fait découvrir l'existence d'une structure utilisable en musique, puis comme tout le monde il se leva. Orlando avait réservé une grande table pour sept. Et Braine ? Où est Braine ? Ah, le voilà.

Il était descendu téléphoner. Il se faisait du souci pour Lily. C'est gentil. C'est normal, entre gens qui

122

s'aiment. Bon, je te quitte, dit-elle, le film va commencer, je raccroche vite et elle raccrocha vite. Braine n'eut pas le temps de demander quel film. Le savoir eût été la seule façon de demeurer près d'elle. Il en fut contrarié et il l'était toujours quand il remonta du sous-sol. La chaise vide lui désignait sa place, il s'y posa, l'avança, et sachant que chacun disposait d'un récepteur dans sa chambre, il demanda :

Est-ce que quelqu'un sait quel film on passe ce soir à la télévision ? On crut qu'il plaisantait mais non. Il avait sa tête la plus sombre, un regard bizarre, lui-même sentait que quelque chose dans son esprit de nouveau s'égarait.

Ça avait l'air sérieux. Ses amis, soucieux de l'aider, lui balançaient comme au hasard un tas de titres de films, le bon allait sûrement sortir, mais lequel était le bon ? Personne ne le savait. On le lui fit observer. On ne pouvait pas l'aider. Il se mit à trembler puis, ne pouvant se contenir, sanglota.

Rose Braxton se leva, fit le tour de la table, s'arrêta derrière Braine, se pencha sur lui et murmura quelques mots contre son oreille. Sa robe, à proprement parler, n'était pas décolletée, mais, comme ça, penchée, la pièce carrée formant bustier s'ouvrait largement et Braine, ivre déjà de son haleine parfumée de rouge à lèvres et l'odeur tiède qui montait de son corps, cacha sa figure honteuse dans la gorge de cette femme, blonde, les yeux bleus, presque aussi clairs que ceux du pianiste, il avait rouvert son livre.

Le saxophone, absent, n'avait rien compris : Alors, c'était quoi, ce film ? Peu importe, dit Rose Braxton, revenue à sa place, parlons d'autre chose, et faisant signe au maître d'hôtel tout en s'adressant à ses invités : Vous avez choisi ? Une voix répondit : Le menu de gauche. Par commodité ou plaisanterie, les autres aussi. Elle commanda sept menus de gauche.

On rassembla les cartes, on les emporta, puis les assiettes arrivées pleines s'en allèrent vides, ou à moitié, ou à peine entamées, juste goûtées, on buvait beaucoup.

À une chaise près, Rose Braxton était assise en face de Braine. Elle le regardait, ne cessait, ne mangeait rien, regardait Braine. Elle buvait et le regardait. Braine, revenu à lui et très gêné, ne savait, sauf à s'en aller, comment se soustraire à ce regard.

À tout hasard, il chercha les yeux du saxophone, les trouva et, produisant un violent effort, parvint à prononcer le mot « travail » et à dire qu'on allait devoir commencer.

On se mit d'accord pour le lendemain matin dix heures. Les uns et les autres dormant plus ou moins, dix heures du matin c'était bien. Braine viendra les chercher en voiture.

Lily dormait encore quand il est parti. Elle dormait hier soir quand il est rentré tard. Elle avait pris Louis et Lucie avec elle dans le lit. Braine se coucha sur le sofa et s'en alla silencieux vers neuf heures et demie. La chienne l'entendit, ne bougea pas.

Pour la voiture, avec Lily, ils en avaient parlé la veille. Braine avait dit : Je suggère que tu demandes à ton père de t'en prêter une petite. Lily : Pourquoi une petite ? Je ne sais pas, dit Braine, je dis ça comme ça, parce qu'en général les femmes préfèrent les petites voitures, et le disent, et les achètent, et puis je m'en moque, tu verras ça avec ton père.

À dix heures moins le quart, il se rangeait devant l'hôtel d'Angleterre. La rue était calme. Le chantier du club juste à côté. Il alla y jeter un coup d'œil.

On ne voyait rien de l'extérieur. Entre deux planches, sur les gravats, il s'avança. Ne vit et n'entendit personne. Il était près de dix heures. À ce train-là, se dit-il, mon fils sera né et ils n'auront toujours pas fini.

À la réception de l'hôtel, il demanda qu'on prévienne ces messieurs. Un quart d'heure plus tard, ils étaient tous là. Nous y allons ? Allons-y, répondit le pianiste. Descendu longtemps avant les autres et installé dans le salon, il rangeait ses papiers et son bout de crayon, les cala dans les pages de son livre, pressa le tout sous son bras : On y va ?

On se tassa dans la voiture. Braine fit de son mieux pour ne pas les secouer, ils venaient de déjeuner. Peu de route à faire mais belle. Le soleil commençait à chauffer. La brume par endroits tardait à se dissiper, ça pastélisait les couleurs, l'automne n'en manque pas.

Aussitôt entrés dans la grange, Patrick ouvrit le piano, avança le tabouret, et joua d'abord, selon son habitude, comme un salut au drapeau, le *God save the Queen*, puis quelques mesures d'une sonate de Mozart :

Ça paraît simple, dit Christian. Ça ne l'est pas,

répondit Patrick, qui enchaîna avec une séquence très rythmique du *Sacre du printemps*. Si je me souviens bien, dit Christian, Debussy l'a déchiffré au piano avec Stravinsky assis à côté de lui.

Exact, dit Patrick, bravo, mes compliments, les deux plus grands musiciens de leur temps assis côte à côte. À la fin du divertissement, tout le monde avait reconnu la musique du film *Les Sept mercenaires*. Je préfère *Les Sept samouraïs*, dit Nassoy. On est tous d'accord, dit Patrick, alors au travail.

Christian dut se réadapter à la taille et surtout au poids d'un saxophone ténor. Il passa le collier autour de son cou, en régla l'amplitude et c'est là, lorsqu'il suspendit l'instrument, qu'il se rendit compte que le poids lui sciait la nuque. Il se redressa, fit passer le collier par-dessus son col de chemise et, comme ça, ça allait. Il humecta de salive une anche moyenne et l'ajusta sur le bec.

La basse réclamait le silence. Il s'adressait au pianiste qui n'entendait rien. Il réclamait du piano les notes pour s'accorder. Le bruit venait du batteur qui réglait son matériel. Il plantait aussi des clous dans le parquet pour éviter que l'ensemble ne se balade.

Le pianiste avait coupé en quatre une grande feuille de papier réglé. Chacun eut droit à son quart de feuille, même le batteur. Toutes les parties étaient notées et il allait faire la même chose pour une dizaine de thèmes le soir dans son lit.

Braine, assis au bord de l'estrade, attendait que ça se passe. Il était le seul à avoir déjà beaucoup travaillé son instrument. La lecture, c'est autre chose, le déchiffrage, il allait patiner comme les autres.

On ne voit plus Christian. Où est-il passé ? Il avait peur et même un peu honte. Il était allé se cacher dans un coin à l'autre bout de la grange. Il avait besoin de silence et d'être seul pour produire ses premiers sons. Il les prévoyait hideux et ce fut le cas.

Le deuxième essai était meilleur après réglage, ainsi de suite. Ses doigts recommençaient à courir sur les touches. Par degrés, il montait les gammes. Ça revenait, après quinze ans. Difficile d'imaginer son émotion. À nouveau, il entendait sa voix. La sonorité se faisait plus ferme, plus tendue, régulière.

Autre modification, l'anche était un peu forte,

ça l'obligeait à davantage de souffle pour tenir la colonne d'air, ça l'épuisait, il changea d'anche, se sentait mieux et regagna sa place auprès des autres. Un petit garçon l'avait observé par la baie vitrée. Quelques secondes plus tard, on le vit apparaître à la porte restée ouverte pour le soleil, lui permettre d'entrer. Dehors, on était bien. Dedans, c'était encore humide. Les nuits fraîchissaient. Le garçon entra : Je peux rester pour vous regarder ? Bien sûr, dit Braine, tu t'assieds dans un coin et tu ne bouges pas.

Cette séquence est la plus fastidieuse, interminable pour les musiciens, il faut toujours attendre quelqu'un. Impatient de jouer ou à demi paralysé de trac, on attend.

Le pianiste avait choisi, pour commencer, un thème de Sonny Rollins : *Oleo*. Il donne le tempo, compte à haute voix, claque des doigts, une mesure pour rien et ça démarre, pas ensemble mais tant pis, il les laisse jouer, ils en ont besoin pour se détendre, retrouver confiance.

Il faudra revenir sur l'exposé du thème, c'était loin d'être parfait. Du reste, pour finir, à la réexposition, ils se sont encore trompés.

Le petit garçon applaudissait quand une jeune fille est entrée dans la grange. Elle était à la fois gênée de se montrer à tous ces hommes et en colère, les deux raisons se partageaient la rougeur de ses joues : Qu'est-ce que tu fais là ? dit-elle, ça fait une heure que je te cherche partout, heureusement j'ai vu ton vélo, sinon je te chercherais encore :

Et vous ? dit-elle, engueulant Braine, vous ne pouviez pas lui dire que ses parents allaient s'inquiéter ? Ça ne vous est pas venu à l'esprit ? C'est vrai, dit Braine, c'est de ma faute, j'aurais dû le chasser mais il est si gentil : Comment tu t'appelles ? demanda-t-il au petit. Louis, répondit le môme. Ah bah ça alors, dit Braine, c'est drôle, mon fils aussi s'appelle Louis, et bientôt il aura un petit frère. Ou une petite sœur, dit la jeune fille, le monde a aussi besoin de filles.

Elle ne vous rappelle pas quelqu'un ? La question s'adressait surtout à Nassoy, quand la jeune fille fut sortie en tirant le garçon par la main. Elle rappelait à Braine Lily très jeune. Elle repartait sur sa Mobylette. Le garçon derrière elle pédalait à toute vitesse. Patrick : On va pouvoir continuer ?

De fait, il n'avait plus envie. Si ça devait se passer comme ça. Et puis, il faut bien le dire, leur niveau théorique est assez pauvre, se disait-il, mais ce sont d'excellents improvisateurs, on ne peut pas tout avoir, pense à l'argent que tu vas gagner et fais-les travailler.

Ça voulait dire repartir de zéro ou presque, comme s'ils avaient six ans. Les gars détestent. Leur faire lire des exemples simples, battre la mesure.

Dans le cas du thème *Oleo*, ils chutaient parce qu'ils ne savaient pas compter. On allait donc décomposer chaque rythme et chanter les notes.

La lenteur est la seule façon de comprendre comment un rythme est bâti, leur disait-il : Alors vous prenez votre feuille, je donne le départ et on compte tous ensemble : Toi aussi, Claude ! Le batteur se croyait dispensé, mais pas du tout, il doit être capable de battre chaque temps du thème.

Mais tout ça n'intéresse personne, pas même les musiciens qui très vite se sont mis à chahuter. Des éclats de rire nerveux, de hauteur et de durée, de fréquence et d'intensité variables : De quoi faire de la musique, songeait le pianiste, mais attendons que ça finisse, ça finira bien par finir, c'est comme tout, le rire comme le reste.

Lorsque ce ne fut plus qu'un vague murmure, il alluma un petit cigare, se pencha sur le clavier, avança ses mains. Mauvais lecteur mais bonne oreille, dès la première mesure, Braine identifia l'introduction d'une jolie ballade nommée : *Central Park*. Il attrapa son bugle.

Son entrée fut approximative, c'est comme ça qu'on les aime, et ensuite alors, un grand plaisir, une magnifique sonorité, un swing si naturel, et des figures rythmiques, une invention harmonique, des phrases tellement inattendues, et à chacune de ces trouvailles Patrick souriait, quant aux autres, sauf Christian qui se contenta de les écouter, discrètement ils s'en mêlèrent, la basse, dans de vibrants graves, les balais chuintaient sur la caisse claire et, à ce moment-là, ce n'est pas rare, le cœur se serre.

Des coups de klaxon. C'est fini. Ça ne pouvait pas durer. On était bien mais tant pis. Il était une heure et demie de l'après-midi. C'était Lily. Elle avait sa nouvelle voiture. Une petite berline avec un toit décapotable ouvert. Il faisait beau et chaud, pas trop, un soleil d'octobre, l'ombre était fraîche.

Cette chère Lily, son ventre s'arrondissait, s'inquiétait du déjeuner de ces messieurs. Elle est pas belle, ma femme ? dit Braine penché sur Nassoy. Si, dit-il, tu as vraiment de la chance.

Si ça vous tente, dit-elle, j'ai apporté de quoi vous restaurer, et bien sûr vous désaltérer. Le champ d'à côté, c'est d'ailleurs un pré, me paraît très bien, qu'est-ce que vous en pensez ? Louis et Lucie ne sortaient pas de la nouvelle voiture : On pouvait voir le ciel !

9

La présence de Lily, sa véritable raison consistait à s'assurer que Rose Braxton n'était pas là en train de tourner autour de Braine. Ou, sans bouger, le regardant jouer, l'hypnotisant comme un serpent.

Sur ce point, elle s'était trompée. Elle aurait pu aussi se tromper sur la question du déjeuner. À quelques minutes près, elle les manquait. On les attendait à l'hôtel. Pas une attente, leur venue était juste prévue.

Lily avait préparé une énorme salade de riz, avec des tomates, des oignons, des poivrons, des verts, des jaunes, des rouges, des olives et des œufs durs. Tout le monde aime ça. C'est ce qu'elle a pensé. J'espère que tout le monde aime ça, dit-elle. Par courtoisie, chacun répondit oui sans demander quoi.

Un pré, pas un champ. L'herbe était un peu haute, drue, dense, inégale. Le grand drap blanc en guise de nappe avait du mal à se tenir plat. Patrick avait rouvert son livre. Les autres s'entraidaient à distribuer les assiettes en carton, les couverts et gobelets en plastique, des serviettes en papier avec des petits canards. Lily s'excusa pour les canards. Quand on a des enfants, dit-elle.

À propos, s'adressant à Braine : Si tu allais voir ce que font les enfants ? Je vais bientôt servir, et puis tu en profites pour apporter l'eau et le vin, qui sont dans la glacière et la glacière dans le coffre et, non, pas la Thermos de café, ne la cherche pas, elle est là, oui, c'est tout.

Louis et Lucie occupaient maintenant les sièges avant. Les mains sur le volant, Louis s'imaginait qu'il conduisait. Il le tournait pour faire plus vrai. Lucie dormait sur l'autre siège.

Les enfants, venez déjeuner, dit Braine. Non, dit Louis, je veux être servi dans la nouvelle bagnole. Pas question, dit Braine, sortez de là, et que ça saute, allez, allez, on ne discute pas, maman nous attend, elle a préparé ce que tu aimes, une salade de riz, tu aimes ça, n'est-ce pas ?

Une boîte pleine de toutes sortes de fromages. Un grand pain de campagne. Un couteau pour le couper. Braine distribuait des tranches, le pain sous le bras, le couteau à la main, et chaque fois qu'il tenait ce couteau il avait envie de le planter dans le ventre de quelqu'un. En général, ça se passait à la maison. Il était seul avec Lily.

Le soleil et le vin blanc. Tout le monde prit du café et puis un cheval fit son apparition. Le pré se prolongeait autour d'un bouquet d'arbres verts.

Le cheval déboucha de derrière, grand et noir, le cou juste assez long pour brouter l'herbe à ses pieds, et tout en broutant, il avançait, se rapprochait, et à force de s'approcher, comme personne ne bougeait, il en fut bientôt à respirer la surface de la nappe, personne ne bougeait car chacun était pétrifié, sauf Patrick assoupi, son livre ouvert sur le visage, contre la lumière.

Les chevaux n'aiment pas, ou plutôt sont curieux ou troublés par un corps allongé inerte, gisant. Le cheval se pencha sur lui, flaira le livre, la couverture, la quatrième, le titre, puis avec ses naseaux grands ouverts il souffla un grand coup d'air.

Patrick se redressant hurla, le cheval prit la fuite et personne ne fit le moindre commentaire. On se contenta de plier bagage. On aida Lily à ranger tout ça dans son coffre. Elle embrassa Braine, salua les autres et ce fut tout.

On ne parlait toujours pas. Ils n'avaient plus envie de travailler. On regardait Patrick à la dérobée. Ils pensaient qu'il était gêné. Il réfléchissait sur sa frayeur et surtout sur le cri de la terreur.

Il s'agissait de quoi ? Une voix sortie, poussée hors de son registre ordinaire. À cause de la peur, une voix d'homme se change en voix d'enfant.

Braine connaissait ça, cette métamorphose. Il l'avait souvent entendue, et même sortant de sa propre gorge, sans pouvoir la faire taire. Patrick ignorait tout du passage de Braine dans la guerre. Les autres aussi. Il n'en parlait jamais, pas même à Lily, même pas en rêve, et voilà qu'il s'adresse à Patrick pour lui dire qu'il connaît ce cri.

Le pianiste lui demande s'il serait capable de le reproduire sur son instrument. Je ne sais pas, dit Braine, on peut toujours essayer. Même question au saxophoniste : Et toi ? Tu penses pouvoir faire quelque chose ? Pourquoi pas ? dit-il, je n'ai entendu ça qu'au cinéma, mais on peut voir ce que nous fait faire l'idée de la terreur.

Chacun s'efforça de produire des sons très aigus et, sans trop insister, on obtint des cris voisins de l'humain. La basse et la batterie s'ennuyaient, elles s'en sont mêlées. Ça donna du free-jazz.

Le pianiste les arrêta : Si je vous laisse faire, ça va se perdre, je vous ai improvisé un petit arrangement : Seize mesures alternées quatre par quatre bugle et saxophone, un pont pour la rythmique et vous concluez. Ça les occupa jusqu'au soir.

Une nuit humide s'était déposée sur la voiture. Elle était perlée de condensation. On essuya les vitres avec des morceaux de chiffon, qu'on déchira pour que chacun ait le sien, à quatre ça va vite. Patrick allumait sa pipe. Il fumait aussi la pipe, puis Braine les conduisit jusqu'à l'hôtel. Douche ou bain, peignoir blanc, détente sur lit avec livre ou télévision, une heure environ et rendez-vous au bar.

Pauvre Braine. Il rentrait seul chez lui. Un peu le cafard ce soir. Il serait volontiers resté avec ses amis. C'est ainsi. Il fallait rentrer. Ça n'est pas si terrible. Du reste, quelque chose de bien pire allait lui arriver. Voici comment les choses se sont passées.

Il aurait pu se contenter de déposer les autres sans lui-même descendre de voiture. Il descendit néanmoins et les accompagna jusque dans le hall de l'hôtel. On échangea quelques plaisanteries en attendant les clefs et puis allez, à tout à l'heure. Oui, mais pas lui. Lui, il devait rentrer.

Il regagna sa voiture, mit le moteur en route et, au moment de déboîter, il sentit deux longues mains, douces et parfumées, lui fermer les yeux. Décidément, se dit-il, c'est la journée de la peur : C'est toi, Lily ? Non, ce n'était pas Lily. Ça ne pouvait pas être Lily. C'est moi, dit une voix. Qui ça, moi ? dit Braine portant toujours le masque fait de deux mains de femme. Il aurait pu s'en débarrasser, n'en fit rien, attendit.

Démarrez, dit la voix, je vous dirai quand nous devrons nous arrêter. Elle ôta ses mains, le démasqua, se démasquant elle-même. Braine, dans le rétroviseur, vit le beau visage de Rose Braxton : J'ai cru à l'agression d'une professionnelle, dit-il, je suis rassuré.

Il démarra, sortit de la ville, roula durant deux

ou trois kilomètres, puis la voix de Rose Braxton lui ordonna de s'arrêter. Il se rangea : Venez, dit-elle, venez vous asseoir à l'arrière avec moi. Au fond, se dit-il en sortant sur le bord de la route, j'étais fait pour obéir.

Il s'installa à l'arrière, s'approcha pour mieux la voir, il faisait nuit, se mit de côté pour lui parler : Je vous écoute, dit-il. Cette façon de lui dire ça la fit sourire. Son accent naïf et sa figure de beau garçon s'épousaient à la perfection.

Elle l'étouffa d'un long baiser dévorateur, puis lui couvrit le visage de rouge à lèvres poisseux. Elle voulait le marquer de l'envie qu'elle avait de lui, et si possible pour longtemps lui donner envie d'elle. C'était réussi : Elle laissait Braine affolé à l'idée de revoir Lily.

Il s'échappa de la voiture et courut se traîner dans l'herbe humide, par endroits mouillée de rosée. Il arrachait des touffes entières, s'en frottait la bouche et le visage. Il ne trouva de mouchoir dans aucune de ses poches. La peau brûlait et l'espoir que tout ça pût ne pas être.

10

Qu'est-ce qui t'est arrivé ? dit Lily. Pourquoi ?
dit-il, qu'est-ce que j'ai ?

Il avait les joues rouges et griffées, coupées plus
que griffées, ça ne ressemblait pas aux dégâts cau-
sés par les ongles d'une femme, mais plutôt, dans
la pénombre où à l'instant il se trouvait, à la peau
scarifiée d'un guerrier noir. L'herbe des prés est
méchante.

Ce que tu as ? dit Lily, eh bien, tu as la figure,
toute. C'est rien, dit Braine : Tout à l'heure, en
sortant de la grange, j'avais très chaud, j'ai cru
pouvoir me rafraîchir avec l'herbe du pré.

Tu aurais pu faire ça avec un mouchoir et de
l'eau, dit Lily, enfin bref, va donc prendre ta douche, on va bientôt dîner.

Sous la douche, la sensation désagréable de l'eau chaude coulant sur la peau à vif de sa figure le dispensait de réfléchir à la soirée qui s'annonçait.

Au moment de laver le bas, il se rendit compte qu'il avait gardé son caleçon, il devait rêver de bains de mer quand il est entré dans la cabine. Il l'ôta, ne savait qu'en faire, le posa trempé sur la tringle du rideau de la douche et l'oublia là.

Il se rhabillait. Il se rappela. En peignoir éponge, il alla le chercher pour le tordre et l'étendre. Lily l'avait déjà dans les mains. Elle passait toujours derrière lui pour écoper les inondations : Qu'est-ce qui s'est passé, dit-elle, avec ton caleçon ? Qu'est-ce que tu as fabriqué ?

Rien, dit Braine, j'étais distrait quand je suis entré dans la cabine, je l'ai oublié, dit-il, sur moi, et pour plaisanter, ça ne peut pas faire de mal, il ajouta : Je devais rêver que j'allais me baigner dans la mer, et toi tu me regardais, assise sur le sable, une serviette déjà prête pour sécher la chair de poule de mes côtes maigres. La candeur paya. Lily se fendit d'un sourire.

Le dîner fut sinistre et calme. Louis vidait sagement son assiette sans un instant cesser de parler de la nouvelle voiture. Aussi belle que sa mère, disait-il. Le cheval noir également occupait ses pensées. Lily redoutait qu'il n'en conçût de terrifiants cauchemars. On verra ça. Elle les coucha. Lucie sur la couverture, Louis, sous.

Qu'est-ce qu'on fait ? dit Lily. On se couche tout de suite ou on regarde un peu la télé ? Il faudra qu'un jour on se décide à installer un poste dans la chambre, ce serait plus pratique, non ? Les épaules et les sourcils de Braine se levèrent.

La télévision fut allumée. Lily et Braine, à demi allongés sur le sofa, face au poste. Braine avait posé ses pieds sur le verre fumé de la table basse et, les bras en croix, le gauche étendu sur le dossier du sofa, le droit couvrait les épaules de Lily.

Pour ne pas changer, il s'agissait d'un film policier. C'était commencé. La scène se passait à la brigade criminelle, dans une salle d'interrogatoire.

Un type, avec une tête d'innocent, était assis à la table. On lui apporta un café et pour la énième fois on lui demanda de raconter ce qui s'était passé. Le type, épuisé : Je vous l'ai déjà dit cent fois. Je sais, dit l'inspecteur, mais la vie est comme ça, on n'arrête pas de recommencer et un jour on en meurt. Le type, une nouvelle fois, recommença, de nouveau il raconta ce qui s'était passé, pleurant plus qu'il ne parlait.

Braine protesta : Ça ne s'est pas passé comme ça ! Quoi ? dit Lily à demi endormie : Qu'est-ce que tu dis ? Je dis que ça n'est pas du tout ce qui s'est passé.

Lily, moqueuse : Tu l'as déjà vu ? Oui, dit-il, mais je ne parle pas du film, je parle de moi, de ce soir, de ce qui m'est arrivé. Je m'en doutais, dit Lily réveillée, se dégageant du bras de Braine : Allez, dit-elle, raconte.

Il préféra sortir. Le type avec sa tête d'innocent était coupable. Pas besoin d'attendre la fin. Il prit sa veste avec ses clefs dans sa poche et s'en alla en voiture dans la nuit sans savoir où il allait, il n'avait pas décidé et du reste s'en moquait.

Il savait que Rose Braxton occupait à elle seule le dernier étage de l'hôtel d'Angleterre. Il pensa y monter pour lui donner la correction de sa vie, la démolir ou pire, la tuer peut-être, c'était la solution, sinon jamais je n'en sortirai, se disait-il, et si je ne le fais pas, Lily le fera, je la connais, elle en est capable.

Il parlait tout haut dans sa voiture. Un stop le fit taire, lui ordonnant de s'arrêter. Quand il redémarra, plutôt qu'à gauche, il prit à droite, le chemin de la grange.

N'est-ce pas curieux cette envie de se rendre à cette heure à la grange ? Ce n'est pas curieux et ce n'est pas une envie, il n'y pensait même pas. C'est à certains détails dans les phares, un panneau sur le bord de la route, les yeux rouges d'un lapin, une surface publicitaire, il se rendit compte qu'il se dirigeait vers la grange.

La voilà. Elle se dessinait sur le côté gauche de la route. Comme ça, dans la lumière des projecteurs, elle avait de l'allure, simple et sobre, un peu brute et très haute, Braine décida de s'y arrêter.

C'est la journée de la peur, disait-il tout à l'heure. Il s'offrit un petit supplément quand tous feux éteints il se trouva dans le noir. La lune ne brille que dans les films. Il ralluma les phares. Reparurent la porte blindée, le pignon dans son entier. Le mieux était de laisser allumé, ouvrir, allumer à l'intérieur et revenir pour éteindre les phares. Bonne idée, se dit-il, le cœur battant.

L'émotion, pas la peur. Un peu la peur quand

même. C'est toujours comme ça quand on entre dans un lieu familier à une heure interdite. Tout est là mais sans nous. Pas grand-chose à dire, c'est juste un instant tragique.

La lumière inhumaine. Ça sentait le tabac, la fumée plutôt, mélange de cigare et pipe. La basse était couchée. Les saxophones rangés, étuis fermés. Le bugle était juste allongé dans sa valise, couvercle ouvert. La porte de la grange aussi. Les papillons de nuit.

L'odeur du tabac brûlé, le pavillon du bugle, envie de fumer, envie de jouer, Braine se mit en quête d'un cendrier, tira le bugle de sa boîte et alla s'asseoir au bord de l'estrade, son image en tête, l'image d'un trompettiste et la fumée de sa cigarette.

Il commença par fumer, puis s'occupa de mouiller et chauffer son embouchure, expulsant des bruits de tuyauterie, puis produisit deux notes, l'une assez haute, l'autre basse. Les musiciens sont comme ça, deux notes suffisent à ranimer une mélodie.

Là, il s'agissait de : *I remember Clifford*, un très joli thème composé à la mémoire de Clifford

Brown. La cigarette entre les phalanges, ça sortait bien, Braine était très ému.

Aux meilleurs moments, il n'entendait plus que lui-même, puis peu à peu distingua le bruit s'approchant d'un petit moteur. Il cessa de jouer, un peu inquiet, se disant : Ce n'est rien, ça va passer. Ça ne passa pas. Ça s'approcha, s'arrêta. Le moteur s'éteignit puis on entendit le bruit d'une bécane qu'on cale sur sa béquille.

Un personnage s'inscrivit dans l'entrée. Manteau noir et casque intégral. Ça se donnait des airs de messager de la mort, alors qu'elle respirait la vie quand elle ôta son casque, libérant son sourire et ses courts cheveux blonds.

C'était la sœur du môme de l'autre fois : Je m'excuse de vous avoir dérangé, au moins j'espère ne pas vous avoir effrayé, c'est la lumière qui m'a inquiétée, j'ai cru que.

Vous avez cru que, dit Braine, c'est gentil à vous, mais qu'est-ce que vous faites en Mobylette sur la route en pleine nuit ? Je reviens du ciné, dit Nadia. Ah bon ? dit Braine, et c'était bien ? Très, dit-elle. Lui : C'était quoi ? Elle : Un film de guerre. Ah tiens, fit Braine, je croyais que les femmes n'aimaient pas ça. Moi si, dit-elle, et celui-là est spécialement immoral. Lui : Vous pouvez m'expliquer ça ?

Nadia : Un pilote américain se fait descendre, salement touché, il s'éjecte, son copain par radio prévenu de son point de chute vient le chercher en hélico, il se pose, les Jaunes surgissent et les canardent, ils meurent tous les deux.

Tout ça n'est pas drôle, dit Braine. Non, dit-elle, les gentils sont tués, les méchants triomphent, ça n'arrive pas souvent au cinéma. Ailleurs, si, dit Braine, c'est monnaie courante, vous devriez rentrer.

Vous me parlez comme au cinéma, dit Nadia, on dirait une scène de film. Je ne vois pas de différence, dit Braine, avec ou sans caméra, c'est une scène, une scène dialoguée, le garçon plus âgé dit à la jeune fille : Vous devriez rentrer, sinon. Sinon quoi ? Rien, ça ne me regarde pas.

Il était assis au bord de l'estrade, son bugle serré contre lui, il écrasait sa cigarette dans le cendrier à sa gauche. Elle s'approcha. Elle avait le nez un peu retroussé, les cheveux en bataille et le casque sous le bras :

Je vous ai interrompu. Vous faisiez quoi ? Je

jouais. Vous jouiez quoi ? Un thème que j'aime
bien. Vous voulez bien le rejouer ? Ça me gêne.
Vous avez pourtant l'habitude du public. Une
jeune fille seule n'est pas un public, dit Braine.
Alors c'est quoi ? Je ne sais pas, une histoire
d'amour.

À propos de public, dit Nadia, vous ne trouvez
pas que cet endroit ferait une excellente boîte pour
les étudiants ou autres jeunes qui aiment le jazz ?

Braine y pensait. Ne pas attendre. Commencer
maintenant, ici. Nadia amènera du monde. Vous
devriez rentrer, dit-il. Elle lui vola un petit baiser,
ses lèvres étaient minces, douces, et dix secondes
plus tard il l'entendit dans la nuit s'évanouir au son
accélérant de son petit moteur.

11

Pour le saxophoniste, la soirée se terminait dans la chambre, sur le lit, au téléphone. Il parlait avec sa femme, un peu avec les enfants s'ils n'étaient pas couchés, puis reprenait sa femme. Les conversations étaient devenues calmes, les paroles chuchotées. Tu me manques. Toi aussi, tu me manques. Moi, ce qui me manque le plus. Et toi, qu'est-ce qui te manque le plus ?

Le batteur traînait dans la ville. Il testait les bars. Il visitait les rues. N'osait pas demander où trouver ce qu'il lui fallait. Il attendait qu'on l'aborde. Même une femme. Les deux lui manquaient.

Le bassiste, lui, certains soirs, déroulait les couches de sparadrap qu'il avait au bout des doigts. Il lui arrivait de garder ça trois jours. Si la protection était réussie, elle restait dure, gardait son efficacité, à condition de ne pas la mouiller, ne pas se laver les mains, et quand c'était trop sale et que ça s'effilochait, il les remplaçait.

Il allait oublier. Un peu de lassitude. Le pianiste referma son livre, s'éloignant un moment de la cybernétique appliquée à la musique et prépara le programme du lendemain, soit les thèmes suivants :

Autumn Leaves	(J. Prévert et J. Kosma)
Milestone	(M. Davis)
Joshua	(V. Feldman)
All of you	(Cole Porter)
Walkin'	(R. Carpenter)

Il déposa la liste sur la table du petit déjeuner et déjeuna en attendant que tout le monde soit là. Inutile d'en parler avant. Il faudrait recommencer.

Il était dix heures. Le batteur n'était pas descendu et Braine pas encore arrivé. C'était la première fois. On s'inquiète un peu et, en même temps, l'inhabituel a lieu, par exemple le pianiste demanda aux autres s'ils avaient bien dormi. Ils se sont regardés, mâchant, ils finissaient leur déjeuner.

151

Ensuite, il alluma sa pipe : Le batteur, dit-il, ne descend pas, ce matin ? Il est dix heures passées, Braine ne vient pas nous chercher ? Il est peut-être souffrant, le batteur, Braine aussi, d'ailleurs. Vous devriez aller jusqu'à sa chambre. Quant à Braine, il suffira de téléphoner.

Il suggérait les choses avec une dignité qui malgré lui le faisait rire, et quand il riait ses yeux brillaient d'une clarté presque aveugle. Deux gars se dirigeaient vers l'ascenseur. Le batteur en sortait. Il se laissa soutenir jusqu'à la table. On lui apporta une grande cafetière pleine. Tasse par tasse, il la vida et Nassoy s'en alla téléphoner chez Braine :

Allô ? fit Louis, c'est qui ? C'est le bassiste, dit Nassoy, ton papa est là ? Non, dit Louis. Et ta maman ? Oui, dit Louis, elle est aux cabinets : Attends, je vais la chercher. Non, dit Nassoy, laisse-la tranquille. Maman ! Maman ! Trop tard, songea Nassoy.

Oui, dit Lily. Non, il n'est pas dans la maison, il n'est d'ailleurs pas rentré de la nuit, ça m'inquiète et pourtant je ne lève pas le petit doigt, je ne le cherche pas, je ne comprends pas, mais peut-être ne suis-je pas du tout inquiète, je m'en fous, peut-être ? Nassoy : Je peux faire une suggestion ? Je vous en prie, je reste ouverte.

Vous allez monter dans votre ravissante petite décapotable et venir nous chercher à l'hôtel d'Angleterre, ensuite vous nous conduirez à la grange, j'ai comme dans l'idée que Braine doit s'y trouver.

C'est possible, dit Lily, à moins qu'il n'ait fini la nuit dans le lit de la belle madame Braxton. Je le vois mal dans le lit de Rose, dit Nassoy. Ah, parce que vous l'appelez Rose ? Tout le monde l'appelle Rose. Lui aussi ? Quand on en parle, oui. Parce que vous en parlez ? Ça nous arrive, oui, mais bon, dites-moi : Vous venez ou pas ?

En échange d'une promesse murmurée contre son oreille comme un long baiser : Si papa ne rentre plus jamais à la maison, tu dormiras toujours avec moi, Louis accepta de monter la garde : Tu surveilles Lucie et tu prends les messages.

Lily était douchée, habillée, jolie robe, chic pré-natal, cheveux soignés, réunis sur la nuque par une pince agrémentée d'un ample ruban bleu.

Plus ravissante que jamais dans un manteau

léger chiné d'automne, elle se précipita dans sa petite décapotable. Louis à la fenêtre observait son départ : Elle dit ça mais c'est pas vrai, et quelques minutes plus tard, elle freinait fort devant l'hôtel puis, à trois reprises, fit retentir son klaxon italien.

C'est elle, dit Nassoy. Le pianiste referma son livre, vérifia le contenu de ses poches, se leva. Le batteur semblait se sentir mieux. Sa figure était moins pâle, d'une pâleur vaguement colorée. Ses mains ne tremblaient plus que par moments. Il avait même le sourire.

Nassoy aussi. Il était content. Il avait réussi. Lily était là. Elle lui plaisait toujours et même davantage, surtout enceinte et fraîche comme ce matin et coiffée comme ça. Il en voulait à Braine. Il pensait que Braine la maltraitait.

Dans son emballage de brume, la voiture dormait devant la porte de la grange. À l'intérieur, une odeur électrique, ça sentait la poussière roussie. Le radiateur derrière le canapé était resté allumé.

Sur le canapé, la housse de la contrebasse. Dans la housse, fermée jusqu'à la taille, Braine endormi : Prenez garde, dit Lily, ne le surprenez pas dans son sommeil, il est capable de vous tuer, à moins que juste avant il ne meure de peur.

Vous n'entrez pas ? dit Nassoy. Non, dit-elle, ce gentil coco m'a joué un sale tour hier soir, j'aime autant ne pas le voir, et puis je dois rentrer, j'ai laissé les petits à la maison.

Elle s'en alla sous le regard pensif de Nassoy à propos des petits, puis il suivit les autres. Ils entraient. Braine dormait. Éveillé une grande partie de la nuit, ne s'était endormi qu'au matin, sans doute apaisé par la lumière du jour.

Tu prends ma housse pour un sac de couchage ? dit Nassoy lorsque Braine fut enfin réveillé. Lily les avait effrayés. Ils n'osaient faire le moindre bruit. C'est le pianiste qui s'approchant ouvrit le piano et joua doucement la sonnerie du réveil, une version à lui, lente, harmonisée, arrangée en valse. Braine ne bougeant toujours pas, il lui joua *Heure exquise*. Braine s'éveilla.

Excuse-moi, dit-il à Nassoy, j'avais froid aux jambes comme un blessé grave et rien pour les couvrir, alors voilà, je me suis endormi comme ça.

Avec le canapé, l'installation comprenait un réfrigérateur et une machine à café style percolateur à deux tasses. Il s'en prépara du bien fort et pendant que ça passait, il se versa sur la tête, penché au-dessus de la terre battue, le contenu d'une bouteille d'eau minérale glacée.

Personne ne lui demanda pourquoi il avait dormi dans la grange, ni pourquoi sa figure était griffée. À vrai dire, tout le monde s'en moquait, sauf Nassoy qui avait deviné : Braine et Lily se sont battus. Il ignorait encore pourquoi.

Le batteur, appuyé au bord de l'estrade, revenait à lui. On se rendit compte qu'il n'était pas encore tout à fait présent quand on s'est mis à travailler *Milestone*, le thème de Miles Davis. Il était trop lent, ralentissait même, incapable de produire une pulsation régulière. On lui laissa le temps de se reprendre.

Braine en profita pour aborder la question posée la nuit dernière : L'autre soir, dit-il, je veux dire hier soir, tard, une jeune fille est passée me voir, ici. On a parlé et, à un moment donné, elle me dit :

En attendant l'ouverture de la boîte en ville, pourquoi ne pas vous produire ici, c'est très bien, ici, je vous enverrai du monde, des étudiants principalement.

Personne ne réagissait. Braine développa : La fille, dit-il, c'est la fille de l'autre fois, celle qui m'avait incendié parce que j'avais autorisé son petit frère à s'asseoir ici pour regarder et écouter, vous vous souvenez d'elle ?

Ah oui, fit Nassoy, la fille de l'autre fois, qui est passée te voir hier soir, et toi comme par hasard tu étais là, c'est elle qui t'a fait ça ?, à moins que tu ne te sois battu avec Lily ? Non, dit Braine, c'est non, deux fois non, revenons à la question : Vous en pensez quoi ?

Le pianiste : On ne peut rien faire sans l'accord de madame Braxton. Il faut donc lui en parler. L'un de nous doit se dévouer. Braine me semble le mieux armé, dit Nassoy. Moi ? dit Braine, pourquoi moi ?

Nassoy : Parce que Rose est une jolie femme et, comme toute jolie femme, elle aime les beaux garçons, et tu es le plus beau d'entre nous. Les autres : Oui, oui, c'est vrai. Vous avez raison, dit Braine, quand je vous regarde, je n'ai aucun doute, alors c'est réglé.

Rose Braxton ne fit aucune difficulté. Elle était ravie de revoir Braine. Il avait obtenu d'elle un rendez-vous matinal. Elle ne dormait jamais beaucoup : Disons neuf heures. Le concierge fut surpris : Je sais, dit Braine, appelez plutôt madame Braxton, elle m'attend.

En pyjama jaune sous une robe de chambre de couleur verte, un vert peu banal, proprement troublant, alors qu'elle-même ne l'était pas, son visage n'était pas maquillé, elle promenait une espèce de pâleur qui la rendait cette fois presque émouvante, rien à voir avec le beau masque du soir, le fameux et primitif et beau masque du soir.

Celui de Braine portait encore des traces. Vous m'en voulez ? dit Rose. Oui, peut-être, dit Braine, et encore, non, je ne sais pas. En tout cas, dit-il, puis il se tut. En tout cas quoi ? dit-elle. Il ne la regardait pas. Il la regarda : C'est quand même idiot, dit-il, l'autre soir vous m'avez attaqué, pris de force, comme un fauve, comme une folle, alors que ce matin j'ai envie de vous embrasser parce que vous êtes bien, vous êtes comme j'aime.

Ensuite, on aborda la question du Blue Sky Des Champs, en attendant celui des villes. Encore très émue par la tendresse de Braine, Rose disait oui à tout, il aurait pu lui demander n'importe quoi.

On se contentera d'une douzaine de canapés bas solides et bon marché. Autant de tables légères, du plastique fera l'affaire. De quoi dresser un bar et une glacière supplémentaire. Je vois très bien Orlando en videur. Nadia s'occupera des consommations.

Rose : Qui est Nadia ? Une jeune fille du coin, elle est venue nous voir deux fois. La deuxième fois, elle a suggéré qu'on pourrait très bien faire de la grange un club. Elle a promis de nous envoyer du monde. On ouvrirait les fins de semaine. Matinée ou soirée, ou les deux, faut voir. Comme tu dis, dit Rose. À présent, elle le tutoyait.

Elle voulait savoir quelle sorte de gens cette Nadia pouvait leur apporter : Et quand je dis apporter, je pense aux ennuis. Il répondit : Des étudiants. Et elle, ta Nadia, elle la fréquente, la faculté ? Je ne sais pas, dit Braine, je ne lui ai pas demandé, je le ferai quand je la reverrai, il est probable qu'elle repassera. Oui, dit Rose, c'est probable, et toi ? Quoi, moi ? Ici, quand ? Demain, si tu veux, tous les jours.

Les autres l'attendaient dans le hall. Ils étaient tous à piétiner en observant le mouvement de la rue, guettant même la moindre voiture, puisque c'est là, venant de là que Braine devait apparaître.

C'est derrière eux, sortant de l'ascenseur, qu'il apparut : Je suis là ! s'écria-t-il, et sans leur laisser le temps d'ouvrir la bouche : Elle est d'accord sur tout. À nous de nous débrouiller pour commander les équipements

Il changea d'itinéraire. Il baissait la tête à tous les croisements, cherchant le panneau : « Faculté des lettres ».

À force de détours, on passa devant le chantier de la rue Saint-Philippe. Braine, ralentissant se remémora un fragment de conversation : Et les travaux, ça avance ? Rose : On sera prêt pour la fin de l'année. Puis direction la zone industrielle.

Personne ne parlait. Le pianiste, sur une feuille de papier quadrillé pliée en quatre, malgré les secousses copiait un paragraphe d'une page de gau- che de son livre en s'appuyant sur la page de droite. Les autres rêvassaient.

Le saxophoniste, les yeux clos, souriait. Ça datait d'hier soir. Sa femme venait de recevoir de Rose Braxton un chèque d'un montant considé- rable, accompagné d'un petit mot disant : Pour vous aider, chère madame, en attendant le ciel bleu.

Braine se rangea dans le parking d'une grande surface polyvalente, meubles et équipements. Vous pouvez m'accompagner ou rester, dit-il avant de sortir de la voiture. On préféra rester. Je vous préviens, j'en ai pour un moment, ça va dépendre, vous savez où je suis.

À raison d'un quart d'heure par article, réflexion, choix, caisse, ça dura près d'une heure et demie. Tout était disponible mais pas dans les bonnes couleurs. Braine voulait canapés verts et tables jaunes, ce fut tables rouges et canapés noirs.

Le tout au nom de madame Rose Braxton, adresse, téléphone. Lieu de livraison : La grange, route de Sauny, trois kilomètres après la sortie de la ville. On ne peut pas la manquer, dit Braine, c'est le premier bâtiment qu'on rencontre. Nassoy l'avait rejoint. Tu tombes bien, dit Braine, tu vas m'aider à choisir une petite sonorisation, je n'y connais rien, juste pour la voix, les instruments n'en ont pas besoin, l'acoustique est suffisante.

Il avait dans la tête une scène de film, non de guerre, de jazz. On voit un quintet jouer *Now's the time* sur une estrade dans une grange et des jeunes gens qui dansent pieds nus sur la terre battue. Il voulait revoir ça.

12

Le soir où Braine revit ça, il faisait froid. Louis allait à l'école depuis quelques semaines. La chienne Lucie voulait y aller aussi. Ça n'était pas possible. On n'emmène pas son chien à l'école. Tout le monde était malheureux. Lily faisait de son mieux. Elle consolait Louis. Elle consolait Lucie. Deux fois par jour. À la grille de l'école. La pauvre était à bout. Braine allait se charger de Louis.

Il le déposait à l'école à neuf heures. Lucie restait à la maison avec Lily. Ensuite, il allait voir Rose. Il adorait ses peignoirs et ses pyjamas de couleur, la douceur sous le satin. Il demeurait près d'elle une demi-heure, puis retrouvait les autres dans le hall et les conduisait à la grange.

Le groupe travaillait bien. Un effort sérieux et

soutenu parfois loin dans la journée. Le pianiste avait changé de méthode. Au lieu d'une coupure stricte entre répétition et jeu libre, il pointait les instants où l'un d'eux, travaillant une phrase, avait besoin d'étendre, d'ajouter en développements, et improviser.

Il le laissait faire. Tôt ou tard, les autres suivaient. Il les laissait faire. Si le tempo était vif, la fatigue venait vite, on reprenait le travail, et ainsi de suite.

C'est beau, une belle mise en place. Quelques jours plus tard, le premier camion arrivait. Gros moteur, fort klaxon, grand bruit. On a dû s'interrompre. C'étaient les tables rouges et les canapés noirs. Le chauffeur-livreur était seul. On lui proposa notre aide. Ça nous a changé les idées.

Tout se passa bien. Le gars était content. Il allait s'en aller et puis ça s'est gâté. Il ne voulait pas reprendre les cartons vides. Nassoy lui a dit : Écoute, mon vieux, on t'a donné un sacré coup de main, on peut même dire qu'on a presque tout fait nous-mêmes, et en plus on t'a offert une bière, alors les cartons vides, on va les mettre dans ton camion et ça ira comme ça.

D'autres camions sont venus. Ce qui ne venait

pas, ne reparaissait pas, celle qui n'avait toujours pas reparu, c'était Nadia. Braine excédé s'en alla rôder du côté de la faculté.

Ça ne se fait pas, se disait-il. On va te prendre pour un mauvais sujet. Il se souvenait d'une série policière. L'unité spéciale chargée de la répression des crimes sexuels, et y songeant n'était pas tranquille.

Il revoyait cette belle jeune fille blonde, un peu Nadia, sportive, ses jambes bronzées et son short blanc, enlevée en plein jour sur le campus et violée, étranglée puis dépecée dans un fourgon Volkswagen vert, immatriculé, on n'avait que les trois premiers chiffres. Ils ont fini par l'attraper, se dit-il.

Pour échapper à ça, il pénétra dans les locaux. Il ne connaissait ni son nom : Nadia mais Nadia comment ? Ni son âge : Dix-huit ou vingt ans, peut-être plus ? À part ça, des cheveux blonds coupés court, une Mobylette bleue, un jeune frère et une bicyclette.

Section ? Groupe d'études ? Orientation, niveau, spécialité ? Projets ? Vous êtes de la famille ? Non, juste un ami. Dans ce cas, dit la dame, je ne peux pas vous aider.

Le soir où Braine revit ça, il faisait froid. Il y avait du monde, beaucoup de bruit et de musique forte, des averses de paroles hautes et nerveuses, des charges de joie, des cris.

Le saxophoniste profitait des pauses que Braine s'offrait avec Nadia pour faire ce qu'il aimait, jouer en quartet, seul avec la rythmique.

Serrant Nadia dans ses bras, il repensait au mal qu'il s'était donné pour la retrouver et riait à l'idée que c'était le petit frère qui les avait sauvés.

Un matin, il s'était arrêté à la grange, comme ça, pour dire bonjour. Il entrait en poussant son vélo. Braine lui est tombé dessus : Qu'est-ce qu'elle fabrique, ta sœur ? Où elle est passée ? Ça fait je ne sais combien de temps que je la cherche ? Elle nous lance sur une idée et elle nous laisse tomber.

Le petit s'est mis à pleurer. Nassoy est arrivé pour le défendre. Tu exagères, dit-il à Braine, il est jeune : Allez, mon petit bonhomme, dis-nous ce qui se passe.

Rien, dit le petit, c'est quelqu'un qui a vu Nadia l'autre soir sortir de la grange. Elle avait dit qu'elle allait au cinéma. L'autre, il l'a dit à mon père et mon père il a frappé Nadia. Privée de sortie jusqu'à nouvel ordre, qu'il a dit. Ensuite, elle est tombée malade.

Elle avait beaucoup de chagrin, dit le petit, elle m'a dit qu'elle aimait quelqu'un, elle m'a pas dit qui. Et maintenant ? dit Braine, elle va mieux ? Elle a repris ses cours ? Oui.

Et c'est tout ? dit Braine, tu ne remarques rien ? Si, dit le môme, c'est très chouette. Braine : Est-ce que tu sais que c'est pour ta sœur qu'on a fait tout ça ? Pour lui faire plaisir ?

Et peut-être que tu l'ignores, oui, sans doute, mais elle a promis de nous amener du monde, de rameuter ses copains de la fac et autres avec affichage.

Il y avait du monde. Il faisait froid. Le saxophoniste finissait, réexposant le thème, c'était *Love for sale*. Un peu plus tard, Braine parvint à le convaincre de chanter le blues dans le micro : Oui, sans paroles, avec juste ta voix fredonnée, tu seras bien sûr accompagné. Ce fut un succès. Les jeunes gens dansaient pieds nus sur la terre battue.

On recommencera, dit-il. Nadia se blottissait contre lui. Elle avait le bout du nez tout froid. Pour le réchauffer un peu, Braine y appuyait ses lèvres avec des baisers pleins de chaleur.

Je t'aime, dit-elle, je ne veux pas rentrer. Mais si, dit Braine, tu vas rentrer, et tout de suite, il est tard, et tu reviendras, et moi aussi je t'aime, je ne pense qu'à ça depuis ton apparition de l'autre soir.

C'était peut-être ça, sa véritable infirmité. L'invalidité qu'il avait rapportée de là-bas. Une incapacité à ne pas aimer : À la grange, il aimait Nadia, il aimait Rose à l'hôtel d'Angleterre, chez lui il aimait Lily, et si d'autres s'étaient présentées dans cette même période sans doute les aurait-il aimées. Au fond, il n'y a que le drame, la mort, pour enrayer un pareil système.

Il était temps de rentrer. Rose Braxton était passée, juste passée, le temps de regarder Braine. À cet instant, il jouait en quartet lui aussi. Il jouait *But not for me*. Tu es à moi, dit-elle, puis elle s'en alla.

Elle eut tout de même le temps, malgré le charme exercé par Braine, un charme inévitable, surtout quand il jouait, de se rendre compte de la qualité de la musique qu'elle entendait. Et, le lendemain, chacun eut droit à son premier chèque.

Lily dormait avec Louis et Lucie contre son ventre. Braine en rentrant les aima comme si rien ne s'était passé. C'est bien simple, il ne les avait pas quittés de toute la soirée.

Il entendait des mélodies en s'endormant, n'en connaissait même pas le titre, ou l'avait oublié, il se rappelait les avoir rencontrées en improvisant, au hasard d'une phrase, un fragment reconstitué.

La dernière image fut celle de la locomotive qui l'avait ramené à la maison, puis il regagna des régions où l'attendaient des gens très méchants, des femmes et des enfants, les mêmes que ceux qui dormaient dans son lit, sauf la taille, le poids et la couleur.

13

Le lendemain matin, c'était dimanche, aucun bruit, un dimanche de novembre, brumeux et gris, le froid humide et le silence.

Il faisait jour mais c'est dans la brume que phares allumés la petite voiture de Lily vint se ranger devant la porte de la grange. Il était neuf heures.

Elle sortit, du coffre de sa voiture, des ustensiles de ménage et des outils, soit un grand balai, une vraie pelle au long manche, un arrosoir de vingt litres. Les bottes, elle les enfila assise au bord du coffre puis elle entra dans la grange.

Elle se relevait d'empoigner le seau et l'arrosoir quand elle vit arriver, sur une Mobylette, une jeune fille survêtue de mouton retourné et intégralement casquée. Dans le seau suspendu au guidon de sa bécane, une petite pelle en plastique rouge, la balayette qui va avec, un arrosoir de bac à sable et un rouleau neuf de sacs-poubelles capacité vingt litres.

Je suis bien contente de trouver quelqu'un, dit-elle, tirant sur son casque, tandis que, derrière elle, sa bécane s'effondrait, mal équilibrée, la béquille dans la terre s'enfonçait : Elle n'ira pas plus bas, dit Nadia.

Puis, s'étant retournée, face à Lily, elle reprit : Oui, donc, je disais, je suis bien contente que vous soyez là, parce que sinon, je ne sais pas comment j'aurais fait pour entrer. C'est même, maintenant que j'y pense, stupide de ma part d'être partie sans certitude, ou plutôt celle que je n'y trouverai personne.

Pour quoi faire ? dit Lily, vaguement agacée par le charme de cette fille. Le ménage, dit Nadia : Je peux vous dire qu'hier soir on a beaucoup fumé, beaucoup bu et aussi beaucoup dansé. Ça fait beaucoup de beaucoup, dit Lily. Comme vous dites, dit Nadia, alors vous imaginez dans quel état ce doit être ce matin : Si on entrait ?

Minute, dit Lily, je suis venue pour nettoyer et j'étais là avant vous, et non seulement j'ai les clefs mais j'ai une bonne raison d'être là, et vous, quelle raison avez-vous ? Qui êtes-vous pour penser pouvoir me voler mon travail, car c'est mon travail ?

Nadia avec ironie observait le ventre de Lily. Elle dit : Je tombe plutôt bien, vous êtes enceinte de combien ? Je n'en sais rien, dit Lily, je ne compte plus, j'en ai trop marre. Raison de plus pour me laisser faire, dit Nadia, faites-moi plaisir, rentrez chez vous. Lily fut prise d'une rage lente assez effrayante : Ce sera toutes les deux ou pas du tout, dit-elle, vu ?

Pas du tout aurait mieux valu. Ce fut toutes les deux. Elles entrèrent.

Lily longeait l'estrade : C'est le bugle de Braine, dit-elle. Je sais, dit Nadia, il en a joué toute la soirée. Il ne range rien, dit Lily : C'est quand même pas difficile de le mettre dans sa mallette à l'abri de la poussière et de l'humidité. Il est comme ça, dit Nadia. Je sais, dit Lily. Nadia : Vous le connaissez bien ?

Il y avait de quoi faire. Nettoyer les sièges et les tables et le sol de ses mégots, filtres d'américaines, boîtes de soda et de bière pour la plupart broyées, quelques bouteilles, des paquets vides, de cigarettes, de chocolat, chewing-gums, une chaussure seule, de fille.

Nadia arrosait la terre battue. Lily balayait et poussait la poussière pour de loin en loin former des petits tas coniques. Nadia les ramassait avec sa petite pelle et sa balayette puis versait ça dans un seau et vidait le seau dans un sac.

Assourdi par la brume, un bruit de moteur approchait. Il s'agissait du ronflement caractéristique de la puissance, une voiture de sport ou une grosse berline.

Un cabriolet décapoté. Par un temps pareil, il faut aimer le grand air, être bien couvert et être une femme en pantalon d'hiver jaune foncé sous un long manteau verdâtre, tous cheveux regroupés dans une casquette irlandaise en tweed feuilles d'arbres et fougères.

J'avais tort de m'inquiéter, dit Rose Braxton, s'adressant aux deux autres, qui faisaient pitié, le balai à la main, la pelle. J'avais un peu peur, dit-elle, que cette bande d'agités n'abandonne la grange dans un état, elle respira comme Lana Turner, que j'imaginais pitoyable, j'aurais envoyé mon homme à tout faire mais je vois que deux femmes, enfin soit.

Elle baissa les yeux sur ses bottines. La terre humide du pré les avait tachées. Elle les frotta avec sa main gantée de bistre. Puis, se redressant, elle ajouta : Mais vraiment, madame Braine, dans votre état, vous n'êtes pas prudente.

Nadia sentit ses jambes se dérober. Elle regardait Lily et Lily regardait Rose. Les trois rivales étaient présentes et les yeux des trois femmes lançaient des éclairs de haine, formant ainsi, si on peut dire, un cercle de feu.

Bien modeste en vérité. Il a suffi que l'une des trois recommence à parler. Ce fut Lily : Et ces travaux, dit-elle, cette boîte en ville, quand est-ce que ça va finir ? Vous comptez ouvrir quand ? Bientôt, dit Rose, bientôt. Lily : C'est-à-dire ?

Nadia se sentait mal. Son existence de jeune fille, sa présence même, se consumaient au contact de ces vraies femmes. Ça sentait la guerre. Elles étaient prêtes à s'entretuer. Elle préféra s'en aller. Elle ne reviendra pas.

Moi aussi, je vais vous laisser, dit Rose, et lorsqu'elle eut le dos tourné, in extremis Lily se retint de l'assommer d'un coup de pelle, puis du tranchant la décapiter puis la faire disparaître.

Une heure plus tôt, elle avait eu la même idée, la même envie de tuer Nadia, et elle riait de ces pensées et à la fois n'en riait pas, elle savait qu'elle en était capable. Nadia l'avait senti. Rose, non. Le contenu du dernier seau fut vidé dans le sac, un grand, de cent litres. Lily le porta contre son ventre jusqu'à la voiture, le déposa dans le coffre, les outils aussi, verrouilla la porte de la grange et partit.

La brume n'était pas levée. La brume ne se lèvera pas de la journée. Ça va être comme ça toute la journée de dimanche.

Braine dormait encore. Louis et Lucie s'étaient débrouillés. Ils avaient apporté de quoi déjeuner devant la télévision. Louis aimait bien les dessins animés avec des animaux. Lucie aussi, quand elle voyait un chat, elle aboyait, folle de rage et Louis rigolait.

Lily ouvrit les rideaux. Un jour sale pénétra dans la chambre, de la ouate fumeuse dans un ciel d'usine. Braine passa du ventre sur le dos, bâilla, se redressa, examina Lily, sa tenue, ses joues rouges, puis il articula : D'où tu sors, un dimanche matin, par un temps pareil ?

Eh bien, mon ami, dit Lily, je viens de tuer deux

femmes que tu connais. C'est ça, oui, dit Braine, et moi je viens de massacrer toute une famille parce que je soupçonnais ses membres de me cacher quelque chose, au fusil d'assaut, et toi, avec quoi tu as fait ça ?

Avec la grosse pelle, dit Lily, tu peux vérifier, elle est dans le coffre de la voiture, pleine de sang. Braine eut beau avec insistance observer les yeux de Lily, il n'y perçut aucune nuance de plaisanterie. Il sauta hors du lit.

Il portait un pyjama bleu pétrole. Il enfila sa robe de chambre bleu marine. Le col était bordé d'un liseré vert pomme, puis se précipitant dehors, il trottina jusqu'au garage, ouvrit le coffre et découvrit que Lily s'était moquée de lui.

Elle avait ôté sa tenue de nettoyage. C'est malin, dit Braine en revenant. Il avait froid aux pieds. Il avait couru pieds nus. Il regardait ses pantoufles en tissu écossais dans les bleus à la tête du lit. Je les ai oubliées, se dit-il, elle a réussi à m'affoler, elle est diabolique, quand je pense que je l'ai crue, mais, si je l'ai crue, c'est que je la crois.

Braine s'apprêtait, sous le coup de l'émotion, à poser des questions : Alors, Lily, ce matin, qu'est-ce que tu as fait ? Elle changea de sujet : Maman, dit-elle, hier, m'a appelée, elle aimerait nous avoir à dîner.

Sans moi, dit Braine. J'en ai plus qu'assez de l'entendre te critiquer, et ton père qui me poursuit avec sa guerre, j'en ai marre, tu n'as qu'à y aller avec les petits, tu leur dis que je suis crevé, ce qui est vrai : Non, franchement, reconnais-le, depuis que tu es enceinte, elle est insupportable. Enceinte, grommela Lily, pas tant que ça. Le téléphone sonnait. Braine décrocha.

Oui, c'est moi. Ah, bonjour, madame Braxton. Ça va, oui, ma foi. Si, si, ça va, je vous assure, ne vous fiez pas à ma voix, je viens de me lever. Et vous, comment allez-vous ? Bien ? À la bonne heure. Ah bon ? Vous êtes sortie en voiture découverte ? Par ce temps ? Vous vous moquez ? Non ? C'est la vérité ? C'était au contraire très agréable ? Et vous vous êtes arrêtée à la grange ? Et vous avez vu ma femme ? Qui faisait quoi ?

J'entends mal. Je l'ignorais. Je dormais quand elle est partie. Vous avez raison. Ça n'est pas très prudent. Encore que. On dit qu'une activité physique. Deux écoles. Au revoir, madame Braxton.

Celle-ci : Non, s'il vous plaît, ne raccrochez pas, je voulais vous parler d'autre chose. Pas d'amour, j'espère, dit Braine, car autant vous prévenir, ma femme nous écoute sur le poste de la chambre.

Dans ce cas, dit Rose, parlons de la grange. Vous pouvez rester, madame Braine, ça vous concerne. Vous êtes là ? Oui, dit Lily, allez-y. Alors voilà :

J'ai pensé qu'après l'ouverture du Blue Sky, il serait dommage d'abandonner la grange. Je la loue jusqu'à présent mais nous pourrions l'acheter, en faire une discothèque à la mode et, pourquoi pas, en confier la direction à votre femme, à vous, madame Braine, vous êtes toujours là ? Et comment ! dit Lily. Quoi, les enfants !

Oui, dit Braine, les enfants, qui va s'en occuper ? Ma mère, dit Lily, elle en rêve depuis la naissance de Louis. Braine : Louis est grand maintenant. Lily : Pas le suivant, il sera petit et ma mère ravie. On va réfléchir, dit Braine. Lily : C'est tout réfléchi, c'est oui, madame Braxton, je suis d'accord. À bientôt, dit Rose.

14

Vers la fin novembre, peut-être début décembre, Lily ne savait pas, et plus le temps passait plus elle oubliait, de combien elle était enceinte.

Elle jugeait son ventre trop gros. Elle avait peur de couver des jumeaux. On verra bien, disait-elle, quand je perdrai les eaux.

Elle disait à Braine : Si j'en fais deux, je n'en prends qu'un, je leur laisse l'autre : Tu m'aideras à le choisir ? Et s'ils refusent, je prends les deux et j'en tue un : Tu m'aideras à le choisir ? Braine avait froid.

Nadia n'était pas revenue. Il ne savait pas pourquoi. Il ne l'a jamais su. Son petit frère non plus n'a jamais reparu.

Un matin, ils avaient fini, Rose lui dit : Je veux

que mes musiciens soient impeccables, élégants, chic tu vois ce que je veux dire ? Elle évoqua la perfection du Modern Jazz Quartet. Smoking noir, plastron blanc, nœud noir, vernis noirs, chaussettes noires, et elle chargea Braine de conduire ses amis chez Bertoni, haute couture masculine.

Nassoy : Pourquoi tu vas par là ? On ne va pas à la grange ? Pourquoi tu t'arrêtes ici ? Qu'est-ce qu'on vient faire là ?

Commander nos smokings de scène, dit Braine. Nos quoi ? Il a dit nos smokings ? Oui, dit Braine, au prix où tu es payé, tu peux jouer en smoking. Non, dit Nassoy, ça me gêne sous les bras. Braine : D'autres bassistes autrement plus célèbres l'ont fait avant toi, tu devrais pouvoir y arriver, allez, on y va.

Un grand espace insonore vert sombre. Une odeur de laine. Un silence laineux. Le moindre bruit est anéanti par des tonnes et des kilomètres de tissu sous forme de vestons, pantalons, gilets, manteaux, étoffes de toutes sortes et origines et les couleurs sont des plus élégantes.

Trois garçons circulaient en chemise, mètre ruban autour du cou, manches roulées au-dessus d'un poignet finement orné d'une chaînette et un porte-épingles en lieu et place de la montre-bracelet. Les musiciens étaient cinq : Si les trois premiers de ces messieurs veulent bien se donner la peine. Pianiste, batteur et bassiste se sont dévoués. Le mètre ruban a glissé sur eux, d'une épaule à l'autre, tour de poitrine et de taille, le long des jambes, entre les jambes, de la main à l'aisselle.

Deux restaient. Braine et Christian le sax patientaient, malgré eux vautrés dans un sofa profond. À leurs pieds, une table basse proposait un éventail de magazines à dominante photographique. Braine, fatigué, yeux fermés, somnolait. Christian feuilletait un numéro de la semaine passée. Il s'arrêta, s'y attardant, sur une photo de guerre.

La légende disait : *Un marine américain, commotionné, attend d'être emmené à l'arrière. Bataille de Hué, offensive du Têt, Sud-Vietnam, février 1968.*

Christian heurta légèrement le bras de Braine : Regarde, dit-il. Il présenta la page, Braine s'y pencha. Christian : Ce n'est sans doute qu'une impression mais je trouve qu'il te ressemble, regarde, tu ne trouves pas ?

Dans l'état où il est, dit Braine, il ne ressemble à rien, d'ailleurs il n'est plus rien.

181

15

C'est du silence qui tombait. La neige, c'est du silence, et ça tombait en abondance. Les services communaux sont intervenus très tôt. Les routes ont rapidement été sablées.

En ville aussi, ça s'est bien passé, on pouvait circuler. Lily n'est pas restée prisonnière chez son père et sa mère. Elle a pu rejoindre Braine au Blue Sky très tard dans la soirée.

L'inauguration avait eu lieu la semaine précédente. Arthur Sligo et Johanna étaient invités. Rose n'avait pas oublié la courtoisie du père et sa promesse. Lui non plus n'avait pas oublié. Il se rappelait le charme de cette femme et lui avoir vendu son gendre trompettiste.

Lily bien entendu était absente, retenue par les

enfants. Ce soir-là, déjà, elle s'en était trouvée très contrariée. Elle avait imaginé des choses désagréables, douloureuses. Il n'y avait que des jolies femmes qui toutes regardaient Braine et Braine regardait la plus jolie. Elle avait mal.

Elle ne pouvait ni ne voulait dormir, s'en empêchait en buvant de grands bols de café noir, et quand très tard Braine est rentré, elle lui a cherché querelle.

La semaine suivante, soir de Noël, il neigeait beaucoup, Braine travaillait et Lily était de service, chacun à son poste, Braine au Blue Sky et Lily chez ses parents. Le sapin était électrifié, trop haut et instable.

Selon la tradition, on dîna fort tard. Lucie dormait. Fatigué et malade de s'être gavé de chocolats, Louis avait vomi puis s'était endormi.

Le père, privé de son gendre, des souvenirs de guerre, se mit à évoquer la semaine passée, la soirée d'ouverture du Blue Sky, et, la chaleur ambiante, l'alcool aidant, sollicitant l'avis de Johanna par des : Je me trompe ? ou des : Tu n'es pas de mon avis ? J'exagère ?, il ne fut question que de Rose, sa robe, sa beauté.

Lily, elle, vêtue du capuchon rouge bordé de ouate blanche, la fausse barbe de travers, sa mère l'ayant suppliée d'accepter : Ton père refuse de se déguiser, fais-le pour moi, eut soudain devant les yeux cette image, d'une netteté hallucinatoire, Rose embrassait Braine, elle était sûre que c'était vrai, sûre et certaine.

Alors, paradoxe, si j'en suis certaine, à quoi bon vérifier ? Pourquoi ne pas l'attendre et le punir ? Elle se leva, quitta la table sans un mot et, travestie, elle se précipita dehors sous la neige, jusqu'à sa voiture et dérapant, patinant démarra en direction du Blue Sky.

Il neigeait de plus belle. Le silence devenait très épais. Les routes et les rues, bien que traitées, difficiles. Lorsque Lily parvint à hauteur du cabaret, elle n'y voyait presque plus rien. Les essuie-glaces tassaient la neige dans les angles du pare-brise, elle s'y accumulait, avançait vers le centre qui peu à peu se refermait.

Elle abandonna la voiture à deux mètres du trottoir. La couche de neige sur les côtés de la chaussée ne permettait plus de stationner. Elle descendit de voiture et longeant le muret de neige découvrit un passage dégagé jusqu'à l'entrée.

Le portier le déblayait régulièrement. Cet homme, lui aussi en rouge, en uniforme galonné de portier-voiturier, c'était Orlando. Une seconde interloqué par le costume, il reconnut Lily à son gros ventre :

Bonsoir, madame Braine, dit-il, quel temps.

Je viens voir mon mari, dit Lily, j'ai deux mots à lui dire, je peux entrer ?

Vous tombez bien, dit Orlando, c'est la pause, entrez vite, et frissonnant il poussa la porte et la retint pour Lily. Elle entra.

Présente ou absente, c'était pareil, personne ne fit attention à elle, son entrée ne fut donc signalée à personne.

L'estrade était vide. Les musiciens prenaient un verre au bar. Lily s'avança et prit position derrière un bouquet de plantes vertes. Point idéal. Lieu désigné d'observation. Elle ne ressentait rien. Une vague jouissance qu'elle ne souhaitait pas élucider.

Elle en voyait quatre qui parlaient et buvaient. Ils avaient l'air contents, se détendaient, tout se passait bien. Il en manquait un. Braine n'était pas visible. Se cachait-il ? Si oui, seul ?

Elle se déplaça un peu sur la droite. Entre deux grandes feuilles effilées, peut-être coupantes comme l'herbe des prés, elle vit ce pour quoi elle était là, ce qu'elle voulait voir.

Au fond du bar, dans le creux d'un angle mort, perchés sur deux tabourets rapprochés, Rose et Braine s'embrassaient, avec des gestes et des attitudes qui montraient bien qu'ils se retenaient d'aller plus loin : Pas ici, viens.

Elle les vit glisser de leurs tabourets puis, se tenant par la main, disparaître derrière le décor.

Elle battit en retraite, chancelante et, se reprenant, marcha jusqu'à la porte. Elle s'ouvrit devant elle. Orlando par le hublot l'avait vue arriver. Il la salua d'un mot : Vous avez trouvé Braine ? Oui, dit Lily, merci, et bonne nuit, ne prenez pas froid.

Un gentil garçon, cet Orlando. Il lui avait dégagé son pare-brise. En repartant, elle y voyait plus clair. Il neigeait toujours. La chaussée, ça commençait à glisser. Le traitement perdait de son efficacité. Les camions allaient devoir repasser. Une nuit de Noël. Ils repasseront.

Son pare-brise était dégagé mais beaucoup de neige était tombée autour de la voiture. Quand Lily embraya, voulut démarrer, la voiture se mit à patiner, glisser, elle tournait sur elle-même. Orlando était là. Une fois encore, il vint l'aider : Mettez en seconde et embrayez doucement en accélérant fort, dit-il, je vais vous pousser.

Il la poussa. Lily put se lancer sur le milieu plus adhérant de la rue. Elle n'eut pas à supporter longtemps les phares des lentes files de voitures. Elle sortit de la ville. Lily rentrait chez elle.

Comme prévu, la route était plus mauvaise que la rue. Température plus basse. Moins de passage. Ou pas du tout. Lily passait, ouvrant une piste vierge. Elle pensa ne jamais arriver. La neige s'entassait à l'intérieur des ailes, ne s'évacuait plus, frottait contre les pneus, freinant de plus en plus l'avancée du véhicule.

À force de lutter contre cette nuit blanche, elle oubliait qu'elle avançait, pensait même ne plus avancer, aussi fut-elle étonnée quand elle vit devant ses phares la porte du garage. Elle laissa la voiture aux intempéries puis entra dans la maison.

Il n'y faisait pas si chaud. La marche de nuit, le brûleur. Elle monta le régime de la chaudière et, pendant qu'elle se trouvait dans la buanderie, elle en profita, elle emporta l'escabeau.

La lumière du salon et la télévision étaient restées allumées. Le jeune Louis n'avait pas écouté ce que Lily lui avait dit. Elle posa l'escabeau, se posa elle-même, souffla une seconde devant la télé. Un éléphant se tenait en équilibre sur un minuscule tabouret.

Le poste éteint, elle souleva l'escabeau, le dressa sur son épaule, et avec son ventre, portant les deux, elle monta dans la chambre.

Parvenue là-haut, elle souffla de nouveau puis installa l'escabeau au pied de l'armoire, bien calé pour ne pas tomber.

Lily avait gravi tous les échelons, chaque degré jusqu'au sommet, et là, elle étendit son bras, balaya le haut plateau de l'armoire, la poussière l'écœura puis sa main toucha le pistolet dans son étui. Elle redescendit avec lui.

Le sortit de l'étui. Une belle arme. Elle en connaissait le maniement. À la télévision, elle avait vu ça cent fois. Elle vérifia le chargeur. Il était plein. Fit sauter le cran de sûreté.

Lily s'imposa une respiration courte et rapide et se tira une balle dans le ventre.

C'est idiot, se dit-elle. Si je m'étais tuée d'abord, il serait mort de toute façon. Elle se tua ensuite.

CET OUVRAGE A ÉTÉ ACHEVÉ D'IMPRIMER LE
SEIZE DÉCEMBRE DEUX MILLE NEUF DANS LES
ATELIERS DE NORMANDIE ROTO IMPRESSION S.A.S.
À LONRAI (61250) (FRANCE)
N° D'ÉDITEUR : 4708
N° D'IMPRIMEUR : 094106

Dépôt légal : janvier 2010